D0234268

TIL SCHWEIGER & THOMAS JAHN

KNOCKIN' ON HEAVEN'S DOOR

Ein Roman von Peter Godazgar

basierend auf dem
Drehbuch von
Thomas Jahn & Til Schweiger

nach einer Originalvorlage
von Thomas Jahn

Originalausgabe

WILHELM HEYNE VERLAG
MÜNCHEN

HEYNE ALLGEMEINE REIHE
Nr. 01/11507

Umwelthinweis:
Das Buch wurde auf
chlor- und säurefreiem Papier gedruckt.

2. Auflage
Redaktion: Peter Woltmann

ISBN 3-453-12631-9

Die Personen

Rudi Wurlitzer:
war noch nie am Meer und hat auch sonst noch nicht sonderlich viel erlebt

Martin Brest:
will mit Rudi ans Meer und seiner Mutter ein Auto schenken

Frankie ›Boy‹ Beluga, Drogenboß:
wäre am liebsten im Whirlpool geblieben

Henk, luxemburgischer Killer:
hat starke Bauchmuskeln

Abdul, saudi-arabischer Killer:
hat wenig Humor und noch weniger Geduld

Franz Schneider, Kriminalhauptkommissar:
braucht ab und zu eine Aspirin

Manfred Keller, Kriminalhauptmeister:
spielt gerne den Quizmaster

Marianne Brest:
freut sich sehr und nennt Martin zu dessen Leidwesen immer noch *Stropp*

Außerdem dabei:

Gabi Meyer, Krankenschwester; **Jürgen Trenkler**, Patient; **Klaus Dorn**, Tankwart; **Johannes Dante**, Autoverkäufer; **Dieter Müller**, Bankangestellter; **Werner Obermaier**, Empfangschef; **Jörg Klein**, Student und Hotelboy; **Kurt Wagenfeld**, Hotelangestellter; **Harald Rowitz**, Versicherungskaufmann; **Michael Becker**, Apotheker; **Käthe Franzen**, im Ruhestand; **Agnes Dierks**, Journalistin; **Torsten John**, Taxifahrer; **Michael Curtiz**, Oberboß; diverse Polizisten.

1.

Tod ist eine ziemlich unangenehme Form von Leben

Rudi   Wie finden Sie den Namen Rudolf? Seien Sie ruhig ehrlich, ich finde ihn nämlich selber nicht besonders. Ich will Ihnen auch sagen, warum. Rudolf provoziert die Abkürzung Rudi. Und Rudis sind kleine Typen, die mit Förmchen und Schäufelchen in Sandkästen herumpatschen. Ich weiß, daß das Unsinn ist, aber ich habe mir mein Leben lang eingebildet, daß man einen Rudi im Prinzip nicht ernst nehmen kann. Und alle Rudolfe (oder sagt man Rudolfs?) werden Rudi genannt. Das ist genau wie bei Olivern. Oliver (oder Olivers?) heißen Olli, und Ollis sind dicke Typen, die mit zu kurzen Krawatten winken und die sich in die Augen pieken lassen. Als Wolfgang kann man Glück haben – obwohl, wenn man Pech hat, wird man Wolle genannt.

Martin ist allerdings auch nicht viel besser. Bei Martin habe ich bis vor kurzem an einen Mann auf einem Pferd gedacht und an einen Haufen Kinder, die mit Laternen hinter ihm herlatschen. Jedenfalls habe ich nie an Tequila gedacht, oder an Tankstellenüberfälle oder an Verfolgungsjagden. Und schon gar nicht ans Meer.

Als ich Martin zum ersten Mal sah, hielt ich ihn für ein ausgemachtes Riesenarschloch. – Nein, das klingt zu negativ. Und eigentlich stimmt es auch nicht. Ich hielt ihn nicht für ein Riesenarschloch, ich hielt ihn, sagen wir mal, für einen Spinner, für einen Idioten, für einen abgewrackten Loser, irgendwie so was. Vielleicht tat er mir sogar ein bißchen leid, auf eine gewisse Weise zumindest.

Für ein Riesenarschloch hielt ich ihn erst nach dem Tag, als ich ihn kennengelernt hatte.

Das erste Mal sah ich Martin auf dem Flur dieses Krankenhauses, in das ich nie hätte gehen sollen. Ich saß auf einem Stuhl, hielt eine zusammengerollte Zeitschrift in der Hand, wippte nervös mit dem rechten Bein und wartete darauf, aufgerufen zu werden, als er, mit einem aufgeschlagenen Taschenbuch in der Hand, hinter einer Schwester den Gang hinunterspaziert kam: kurzgeschorene Haare, Zehntagebart. Vor meinem Stuhl blieb er stehen und las irgendeine Stelle aus seinem Buch vor. Keine Ahnung, worum es ging – irgendwas mit Mayonnaise, die einen umbringen kann, und daß man nie ohne Brieftasche aus dem Haus gehen solle. Ich dachte, na toll, so was muß immer ausgerechnet mir passieren. Aber mal ehrlich, warum sollte ich einen wildfremden Typen, der in einem wildfremden Krankenhausgang vor einem wildfremden Menschen stehenbleibt, um ihm etwas vorzulesen, *nicht* für einen Spinner, Idioten, Loser halten?

Nach dieser unheimlichen Begegnung mit der ausgerasteten Art rief mich die Schwester auf, und ich durfte mich bis auf die Unterhose ausziehen, in ein paar Becher pinkeln, ein halbes dutzendmal die Luft anhalten, mich hinter einen Röntgenschirm stellen und schließlich in den Arm pieken lassen und in Ohnmacht fallen.

Dann erhielt ich meine Todesnachricht: Knochenkrebs im fortgeschrittenen Stadium. Kaum Heilungschancen. Chemotherapie? Gerne, Herr Wurlitzer, bringt aber auch nichts.

So ist das, einmal in deinem Leben gehst du ins Krankenhaus, um dich durchchecken zu lassen, weil du dich seit einiger Zeit nicht besonders fühlst, und prompt sagt dir der Arzt, daß du Krebs hast. Krebs, die Arschkarte, wie Martin später immer gesagt hat. Klar, es war mir schon seit Wochen ziemlich mies gegangen, auf gut deutsch: Ich hatte das Gefühl, mir den Großteil meiner Innereien aus dem Leib gekotzt zu haben, und wahrscheinlich hatte ich auch geahnt, daß irgendwas nicht mit mir stimmte und daß es diesmal nicht bloß eine Erkältung war. Aber als ich die Nachricht erfuhr, haute es mich doch erst einmal um. Aber das ist ja wahrscheinlich normal.

Ich hätte zu Hause bleiben sollen, dachte ich. Weiter zur Arbeit gehen und eines Tages umfallen oder bei hundertvierzig auf der Autobahn aufs Lenkrad kippen und gegen einen Baum fahren oder morgens nicht mehr aufwachen sollen oder was weiß ich.

Andererseits wäre ich dann mit Sicherheit weniger zufrieden gestorben.

Und ich hätte vor allem nicht das Meer gesehen.

Ich saß dem Doktor gegenüber und wußte nicht, was ich denken sollte. *Herr Wurlitzer, Sie haben Krebs.* – Sag's noch mal. – *Knochenkrebs, Herr Wurlitzer, im fortgeschrittenen Stadium.* – Sag's noch mal. – *Knochenkrebs, kaum Heilungschancen, Herr Wurlitzer, es tut mir wirklich sehr leid.* – Sag's noch mal.

In meinem Kopf war die reine Leere. Bis auf ein Wort: Krebs. Ich dachte immer nur an dieses eine Wort: Krebs. Krebskrebskrebskrebskrebs. Es war nicht einmal so, daß ich anfangen mußte zu heulen. Ich saß bloß da, und der Arzt saß mir gegenüber und sah mich an. Vielleicht erwartete er, daß ich in Tränen ausbreche oder ihn anflehen würde, irgendwas zu tun – vielleicht erwartete er aber auch gar nichts. Jedenfalls saß ich bloß da und dachte Krebskrebskrebskrebskrebs.

Mein Vater hatte Knochenkrebs. Sie haben ihm nach und nach alles amputiert, aber es hat nichts genützt, er ist gestorben und nicht einmal auf eine besonders schmerzlose Art und Weise. Als ich das dem Arzt erzählte, fing er mit der Leier an, daß sich in den vergangenen zwanzig Jahren in der Medizin einiges verändert habe, blabla-bla. Was sollte er schon groß sagen?

»Wie sieht's denn mit Aids aus?« fragte ich ihn. »Ach ja, und mit Krebs?«

Er sagte, daß es immer Krankheiten gebe, die man nicht heilen könne, und daß er verstehen könne, daß ich beun-ruhigt sei.

Beunruhigt, das war gut. »Mein Herr, tut mir wirklich leid, Ihnen das sagen zu müssen, Sie haben Krebs.« – »Krebs? Ach, Herr Doktor, da bin ich jetzt aber ein bißchen beunruhigt.«

Beunruhigt!

Dabei war ich nicht mal beunruhigt. Schließlich gehört doch der Tod zum Leben, oder? Heißt es doch immer. Liest man doch überall. Der Tod gehört zum Leben. Viel-leicht war es einfach nur die Tatsache, daß der Tod eine ziemlich unangenehme Form von Leben ist.

Der Doktor sagte, er wolle mich im Krankenhaus be-halten, um noch ein paar Tests zu machen. Ich fragte ihn, was man denn bei einem, der Knochenkrebs hat, noch für Tests machen müsse, aber er glotzte mich bloß verständ-nisvoll an. Er rief eine Schwester, die mich in ein Kran-kenzimmer begleiten sollte. Das klingt jetzt vielleicht blöd, aber auf dem Weg dahin habe ich ehrlich gedacht, daß ich mir zum Glück bloß eine Fahrkarte für die Hin-fahrt gekauft hatte. So was nennt man wohl Intuition.

Als die Schwester die Tür zum Krankenzimmer öffne-te, hab ich gedacht, ich seh nicht richtig. Auf einem der beiden Betten saß der Typ, der vor ein paar Stunden noch im Flur seine Lesung gehalten hatte: Martin; allerdings kannte ich zu diesem Zeitpunkt seinen Namen noch nicht. Wie ein Buddha hockte er da – verknotete Beine, viel zu weiter Schlafanzug, Walkman auf dem Kopf, sein my-steriöses Buch in den Händen, Augen zu und am Qual-men. Die Schwester stöhnte kurz, nahm ihm die Zigarette aus dem Mund und warf sie in ein Glas mit Cola. Es zischte kurz. »Sie können hier nicht machen, was Sie wollen, Herr Brest«, sagte sie. »Das ist kein Vergnügungsheim.« Martin reagierte überhaupt nicht.

Als ich ihn so dasitzen sah, fiel mir ein, daß ich ihm schon ein paar Stunden früher auf der *Fahrt* ins Krankenhaus im Zug begegnet war. Er hockte im Nichtraucherabteil und blies mir den Qualm ins Gesicht. Ich guckte ihn so lange an, bis er meinen Blick erwiderte, und zeigte dann auf das Nichtraucherschild, aber er zuckte bloß mit den Achseln. Was für ein Idiot, dachte ich. Ehrlich, ich hasse solche Typen. Sie können mich jetzt meinetwegen für spießig halten, aber ich finde einfach, daß wir Menschen uns an die paar Konventionen halten sollten, auf die wir uns während der vergangenen Jahrmillionen geeinigt haben. Und eine solche Konvention heißt nun mal: Wir rauchen nicht in geschlossenen Räumen, wenn ein Nichtraucherschild an der Wand hängt. Aber ich saß natürlich da und ließ mich vollqualmen und wußte nicht, worüber ich mich mehr ärgern sollte: über den Blödmann, der mir gegenübersaß, oder über mich selbst, weil ich sitzen blieb wie das Karnickel vor der Schlange.

Nachdem die Schwester die Tür geschlossen hatte und ich mit Martin allein im Zimmer war, kramte er eine neue Zigarette heraus, zündete sie an und blies den Qualm zu mir herüber. Ich stand da, blickte zur Tür, dann wieder zu Martin und stellte schließlich meine Tasche in den Schrank. Krankenhauszimmer müßten Sprinkleranlagen haben.

Ich hatte keine Lust, mich mit Martin zu streiten, und beschränkte mich darauf, mich als moralischer Sieger zu fühlen.

Martin Wahrscheinlich hielt Rudi mich für ein Arschloch, als er mich kennenlernte. Jeder, der mich kennenlernt, hält mich für ein Arschloch. Wahrscheinlich liegt es daran, daß ich ein Arschloch *bin*. Immerhin halte ich mich selbst manchmal für eines, und das zeugt doch zumindest von einem gesunden Maß an Selbstkritik, oder? Andererseits kann ich auch nicht gerade sagen, daß Rudi für mich der Prototyp eines normalen Menschen war. Als er im Schlepptau der Schwester in das Krankenzimmer dackelte, wußte ich Bescheid. Verhuscht wie ein junges Reh stand er in der Tür und stierte ins Zimmer.

Ich hatte ihn vorher schon zweimal getroffen. Das erste Mal im Zug: Ich hockte im Nichtraucherabteil und hatte mir eine Zigarette angezündet. Ich weiß, daß das Scheiße ist, aber ich hatte erstens nicht auf das dämliche Schild geachtet, als ich eingestiegen bin, zweitens keine Lust, mir mit meinem ganzen Krempel ein anderes Abteil zu suchen, und drittens kann ich diese Typen nicht ausstehen, die mich mit diesem Oberspießerwichserblick auf das Nichtraucherschildchen aufmerksam machen. Ich qualmte also weiter, und er ertrug es mit dem heldenhaften Mut eines Spießers, der Angst hat, eine aufs Maul zu bekommen.

Das zweite Mal traf ich ihn dann im Krankenhaus, als ich hinter einer Schwester durch den Gang schleppte und *Motel Blues* von Sam Shepard las. Es gibt da eine Stelle in dem Buch, die ich inzwischen auswendig kenne, und ich bin vor Rudi stehengeblieben und habe sie laut vorgelesen: »An einem heißen Tag kann Mayonnaise einen angeblich umbringen. Das hat mir meine Tante gesagt. Sie hat mir außerdem gesagt, ich solle nie ohne Brieftasche aus dem Haus gehen, im Falle meines Todes müßten sie den Leichnam identifizieren.« Rudi guckte mich an, als hätte ich nackt einen Wiener Walzer getanzt. Ich glaube, er hat sich nicht an mich erinnert – jedenfalls *noch* nicht.

Immerhin beruhigte mich die Leserei ein bißchen,

denn, ehrlich gesagt, hatte ich eine verfluchte Angst, und zwar schon seit ich auf dem Weg ins Krankenhaus war. Aber das mußte ja nicht unbedingt jeder mitbekommen.

Tja, wahrscheinlich hab ich mich wirklich nicht von meiner besten Seite gezeigt, als ich Rudi traf, andererseits sollte ich ein paar Minuten später erfahren, daß ich einen Tumor unter meiner Schädeldecke hatte, der so groß war wie ein Tennisball. Das steckt man auch nicht so einfach weg. Der Arzt saß da und erzählte mir die Neuigkeit so engagiert, als trage er den Wetterbericht vor. *Im Kopf von Martin Brest zieht ein kleiner Tumor auf, der gegen sein Gehirn drückt und der ihn bekloppt machen wird. Die weiteren Aussichten: Der Kerl krepiert in zwei bis drei Tagen. Ihnen noch einen schönen Abend.*

Ich habe an meinem Kopf rumgefummelt und den Arzt gefragt, wo das Scheißding sitzt. Er sagte »Stop«, als ich oberhalb meines rechten Ohres war. Ich sagte ihm, er solle das Ding rausschneiden, er solle ein verdammtes Skalpell nehmen und das Scheißding rausschneiden, aber er meinte, wir seien spät dran (›wir‹, diese Typen sagen immer ›wir‹, wenn sie ›du‹ meinen, so wie früher in der Schule, wenn es hieß: »*Wir* wollen jetzt arbeiten«). Jedenfalls könne er nicht versprechen, daß eine Operation Erfolg habe. Heute glaube ich, daß das eine freundliche Umschreibung war für: *Sorry, keine Chance, wir können dir gerne den Schädel aufsägen und dir ein bißchen im Hirn rumpulen, wenn dir das irgendwas bringt, aber helfen wird das nichts. Rein gar nichts. Du bist praktisch tot, Kollege.*

Trotzdem wollten sie mich im Krankenhaus behalten, eine Schwester brachte mich in ein Zimmer, und nachdem ich mich breitgemacht hatte, tappte Rudi herein.

Er hatte etwas Rührendes. Stand da und glotzte der Schwester hinterher, als würde er jeden Moment in Tränen ausbrechen. Ich hätte mich nicht gewundert, wenn er ihr nachgerufen hätte, ob sie die Zimmertür einen Spalt offenlassen könne.

Ich zündete mir eine neue Zigarette an, und Rudi guckte wieder zur Tür und dann wieder zu mir. Schließlich nahm er sein Zeug und fing an, es in den Schrank zu räumen.

Frankie Ich hatte es von Anfang an im Urin, daß mich diese beiden Volltrottel in die Scheiße reiten würden. Henk, dieser dämliche luxemburgische Muffkopf, und Abdul, der beknackte Araber. Einer bescheuerter als der andere. Aber wahrscheinlich bin ich der König der Bescheuerten, weil ich diesen beiden Gehirnamputierten den Wagen mit der Million anvertraut habe.

Kennen Sie den Witz mit dem Mann, der zum Arzt geht, weil er zwei Eier hat? Okay, zwei Eier haben die meisten Männer, aber dieser Typ hat ein Ei aus Holz und eines aus Metall. Er erzählt das dem Arzt, und der Arzt ist ein bißchen unsicher und weiß nicht so recht, was er sagen soll, also fragt er den Mann, ob er Kinder habe. Und der Mann sagt, er habe zwei Kinder: Pinocchio werde demnächst drei, und der Terminator sei sieben.

Ist klar, oder? Eben wegen der beiden Eier aus Holz und Metall. Pinocchio, die Marionette aus Holz, und der Terminator, die Eisenmaschine, ist klar, oder?

Ich meine, der ist doch nicht schlecht. Aber glauben Sie, dieser bekloppte Abdul hätte den Gag kapiert? Immer nur: »Ich versteh nicht Witz, ich versteh nicht Witz.« Er wußte nicht, wer Pinocchio ist. Also erklären wir ihm, daß Pinocchio eine Marionette ist, eine Marionette aus Holz. Und Abdul sagt: »Ich versteh nicht. Warum ist Kind eine Marionette?« Ist ja eigentlich auch egal. Ich hab ihn schließlich nicht angeheuert, damit er Witze versteht, sondern damit er seine Arbeit erledigt und vor allem, damit er meine Anweisungen ausführt.

Ich habe den beiden *genaue* Anweisungen gegeben. AB-SO-LUT genaue Anweisungen: Ich habe ihnen gesagt, daß sie den Wagen zu Curtiz fahren, ihm die Schlüssel geben und sich wieder verpissen sollten.

Ich weiß nicht, wie oft ich es ihnen gesagt habe.

Zu Curtiz! Schlüssel abgeben! Zurück! Eine einfache Anweisung, die aus drei Teilen besteht.

Ist das so schwer zu kapieren?

»Fahren!« habe ich gesagt. Und wenn sie schon anhalten müßten, sollte immer einer im Wagen bleiben. »Laßt die Karre nie unbeaufsichtigt«, hab ich ihnen gesagt. Aber das war wohl zu hoch für die Mädels.

Wahrscheinlich hat Abdul mir ohnehin nicht zugehört. Er glotzte auf das Auto wie auf eine Nackte mit zwei Monstertitten. In dem Moment dachte ich zum erstenmal, daß ich die Kohle nicht in meinem alten Mercedes 230 SL, sondern in einer Ente hätte verstauen sollen.

Also tippe ich Abdul auf die Schulter und sage: »Abdul, mein Sonnenschein. Hast du kapiert, was ich gerade gesagt habe?«

Er sagt: »Klar, Boß, alles klar«, und ich warte nur darauf, daß seine Hose platzt.

Dann gebe ich Henk den Schlüssel, und was macht Abdul? Redet einen Scheiß von wegen, wir müßten eine Münze werfen, um auszulosen, wer die Karre als erster fahren darf. Also sage ich: »Abdul, Schätzchen. Henk fährt als erster. Ihr könnt meinetwegen irgendwann tauschen. ABER JETZT FÄHRT HENK!« Wahrscheinlich wäre das der richtige Moment gewesen, um ihn abzuknallen und den Job meiner Mutter anzuvertrauen. Leider tat ich es nicht. Die beiden stiegen ins Auto, und Henk trat aufs Gaspedal.

2.

Im Himmel reden alle nur über das Meer

Rudi   Da saß ich also in diesem Krankenzimmer mit der frohen Botschaft, daß es in Bälde mit mir zu Ende geht, und mit einem Typen, den ich für geistig leicht derangiert hielt. Ich räumte meine Sachen in den Schrank, legte mich mit einem Buch aufs Bett, schaute aus dem Fenster und dachte Krebskrebskrebs. Ich schlug das Buch auf, und mein Blick zog über die Zeilen, und ich dachte Krebskrebskrebs. Ich legte das Buch weg, sah zu meinem Zimmergenossen, der inzwischen die Augen geschlossen und sein Buch aufgeschlagen auf dem Bauch liegen hatte, und dachte Krebskrebskrebs.

Das Verrückte war, daß ich mich eigentlich richtig gut fühlte. Körperlich, meine ich. Jedenfalls fühlte ich mich nicht wie jemand, der nur noch ein paar Tage zu leben hat. Ich hatte seit einigen Tagen überhaupt keine Schmerzen mehr gehabt.

Irgendwann fing es an zu dämmern, ich zog mir einen Pyjama an und muß wohl kurz danach so halb eingeschlafen sein. Als ich jedenfalls die Augen öffnete, erblickte ich Martins Kopf direkt vor meinem Gesicht. Er war höchstens zehn Zentimeter von mir weg. Ich schreckte hoch. »Was soll das?« brüllte ich ihn an, und zwar nicht besonders freundlich.

Martin hüpfte ein Stück zurück und sagte, er habe nur gucken wollen, ob mit mir alles in Ordnung sei. Ich hätte wie tot dagelegen, und er wolle schließlich nicht mit einer Leiche auf dem Zimmer liegen.

Sehr taktvoll, dachte ich und setzte mich aufrecht hin. Dann fing ich an zu weinen.

Ich weiß auch nicht, wieso mir auf einmal die Tränen kamen, aber ich konnte nichts dafür. Vielleicht war es einfach der Moment, in dem die ganze angestaute Last und Ohnmacht herausbrach, wie man so schön sagt. O Mann, ich war morgens in einen Zug gestiegen, um mich untersuchen zu lassen, und nun saß ich auf einem Krankenbett und konnte mir an einer Hand ausrechnen, wann es mit mir zu Ende gehen würde!

Martin stand da und schien etwas überrascht zu sein, angesichts meines plötzlichen Ausbruchs. Was denn los sei, fragte er immer wieder. *Was ist denn los? Wasistdennloswasistdennloswasistdennlos.*

Ich hatte den Eindruck, er hätte bis zum Sanktnimmerleinstag weiterfragen können. Ich wurde wütend und ranzte ihn an: »Ich habe Krebs! Das ist los!«

Der Typ stand da und grinste mich an. Ich habe gedacht, mich tritt ein Pferd, *so* ein Trampel kann doch kein Mensch sein. Ich erzähle ihm, daß ich Krebs habe, und der grinst mich an?

Also erklärte ich ihm, daß ich bald sterben müsse, daß sie wahrscheinlich schon bald eine Chemotherapie beginnen wollen, daß mir die ganzen Haare ausfallen würden. Ich malte ihm all das aus, wovon ich glaubte, daß es auf mich zukommen würde, bis er mich plötzlich unterbrach:

»Du meinst, du bist der einzige, dem es beschissen geht? Hey?« Er zeigte auf seinen Kopf. »Ich hab heute mitgeteilt bekommen, daß ich einen Tumor hier drin habe, der so groß ist wie ein Tennisball.«

Wahrscheinlich habe ich ihn angeglotzt, als sei er der Osterhase.

»Da guckst du was? Tja, Kollege, wir haben beide die Arschkarte gezogen.«

Eine Zeitlang sagten wir nichts. Dann fragte ich, warum die uns beide auf dasselbe Zimmer gelegt hatten.

Nach ein paar Sekunden zuckte Martin mit den Schultern und sagte: »Vielleicht ist das hier die Abnippelabteilung. So was wie die Besenkammer.« Er setzte sich auf sein Bett und zündete sich eine Zigarette an. Dann erzählte er mir, daß er seit Jahren Kopfschmerztabletten genommen habe. Irgendwann brauchte er ein stärkeres Mittel, das es nur auf Rezept gab. Also ging er zum Arzt, und der schickte ihn ins Krankenhaus, und hier sagte man ihm, daß ihm nur noch ein paar Tage blieben.

Ich fragte ihn: »Die haben dir gesagt, daß du bloß noch ein paar Tage hast?«

Er nickte.

Ich konnte das alles nicht glauben. Ich sagte: »Ich glaube, ich verspüre jetzt die unbändige Lust, mich hemmungslos zu besaufen.«

Mit einem Ruck stand Martin auf, beugte sich unter sein Bett, kramte in seinem Seesack und fischte eine Tequilaflasche hervor. Dann baute er sie vor mir auf wie ein Torero und sagte mit spanischem Akzent: »Weißt du, was das ist? Das ist El Toro Tequila.«

Martin   Nachdem die Schwester verschwunden war und Rudi sein Zeug weggeräumt hatte, legte er sich aufs Bett und war nach ein paar Minuten eingepennt. Er lag ganz ruhig da, den Mund ein bißchen geöffnet, die Arme neben dem Körper. Sah aus wie jemand, der auf dem Totenbett liegt. Ich nahm meinen Walkman ab und betrachtete ihn von meinem Bett aus. Mir fiel ein, daß ich noch nicht einmal seinen Namen wußte. Ich stand vorsichtig auf, ging zum Schrank, öffnete ihn und pulte die Brieftasche aus seiner Jacke. Rudolf Wurlitzer, ulkiger Name. Ich hatte erwartet, beim Anblick seines Paßfotos einen Lachkrampf bekommen zu müssen, aber so schlimm sah das Bild dann doch nicht aus. Er guckte leicht von unten in die Kamera und lächelte, fast schon richtig nett. Ich packte die Brieftasche zurück und ging an sein Bett. Ich beugte mich über ihn, um ihn mir aus der Nähe anzugucken. Es gibt drei Stufen, Leute zu begucken, und jedesmal sehen sie völlig anders aus. Auf Fotos, in natura aus einer gesitteten Entfernung und schließlich aus der Nähe. Jedesmal ein völlig anderer Mensch. Als ich mich über Rudi beugte, wurde er wach und erschreckte sich. Er brüllte rum, ob ich bekloppt sei und was mir denn einfiele. Ich fand seine Reaktion ein bißchen übertrieben, herrjeh, glaubte er denn, daß ich ihn küssen wollte? Ich sagte ihm, daß er sich mal abregen solle.

Dann fing er an zu heulen.

Ich war überrascht und fragte ihn, was los sei.

Er lag da wie das berühmte Häufchen Elend, und irgendwann preßte er heraus: »Ich habe Krebs.«

Hoppala, dachte ich. Das is' ja 'n Ding. Die sperren zwei zum Tode Verurteilte in ein und dasselbe Zimmer? Das nenne ich raffinierte Zimmerbelegung. Erwartete man von uns, daß wir uns gegenseitig auf unserem letzten Weg stärkten?

Rudi heulte weiter, schluchzte und jammerte von wegen Chemotherapie und dem ganzen Zeug, bis es mir irgendwann reichte. Ich erzählte ihm von dem kleinen Sportgerät in meinem Schädel, und endlich wurde er ruhig. Tatsächlich, Rudi, es gibt auch andere Leute, denen es scheiße geht. Hättste nicht gedacht, was?

Er saß da und starrte auf die Bettdecke. Dann sagte er: »Jetzt hätte ich Lust, mich zu besaufen.«

Zum ersten Mal, seit wir uns getroffen hatten, war er mir richtig sympathisch.

Rudi   Hältst du mich eigentlich *jetzt* schon für einen Spießer? Nicht? Dann aber jetzt: Bevor ich Martin traf, hatte ich noch *nie* einen Tequila getrunken. Tja, so sieht's aus. Versteh mich bitte nicht falsch. Das soll nicht heißen, daß ich Antialkoholiker war oder so ein Typ, der rumsprang und ständig allen auf die Nase binden mußte, auch ohne Alkohol lustig sein zu können. Ich war schon oft genug betrunken, und ich habe auch schon ein paarmal über der Toilette gehangen, über der eigenen und über fremden. Aber mit dem harten Zeug hatte ich es einfach nicht besonders. Sei's drum. Ich muß mich hier schließlich nicht für irgendwas verteidigen.

Martin   Ist es zu glauben? Rudi hatte noch nie in seinem Leben Tequila getrunken! Nachdem er die Idee zu dem spontanen Besäufnis hatte, kramte ich eine Tequilaflasche aus meinem Seesack und sagte, daß wir jetzt noch Salz und Zitronen brauchten. Rudi guckte mich verständnislos an. Also erklärte ich ihm die ganze Kiste: Zitronensaft auf die Hand schmieren, Salz drüber, Hand ablecken, Tequila runter, Zitrone aussaugen. Er entschuldigte sich und sagte, er habe noch nie Tequila getrunken. Ich konnte es nicht fassen.

Das Blöde war, daß es in unserem Kabuff natürlich weder Salz noch Zitronen gab. Rudi meinte, wir sollten die Schwester fragen. »Hey, Rudi«, sagte ich, »tolle Idee. Los, wir rufen die Schwester und sagen ihr: ›Könnten Sie uns ein bißchen Salz und ein paar Zitronen holen, wir wollen uns nämlich ein bißchen besaufen, weil wir doch nur noch ein paar Tage zu leben haben.‹«

Überraschenderweise sah Rudi ziemlich schnell ein, daß wir uns selbst auf die Suche machen mußten.

Rudi   Martin erklärte mir, daß wir noch von irgendwoher Salz und Zitronen organisieren müßten, und wir machten uns auf den Weg. Ich fragte mich bloß, warum wir wie zwei Soldaten hinter feindlichen Linien über die Gänge schlichen, wenn doch eigentlich alles klar war.

Ich tippte ihm auf die Schulter: »Sag mal, warum schleichen wir hier eigentlich wie zwei Einbrecher durch die Gänge?«

Er drehte sich um: »Warum? Weil's Spaß macht, Colonel.«

In diesem Moment kreuzten zwei Pfleger den Gang. Martin griff meinen Arm und zog mich in einen Eingang an der Seite.

Ich ging langsam in den schwach erleuchteten Raum. Eine kleine Kapelle. Ich war nie zuvor auf den Gedanken gekommen, daß es in einem Krankenhaus eine Kapelle geben könnte. Ausgerechnet in einem Krankenhaus. Andererseits gibt es ja auch Kapellen an Autobahnen. Ich ging durch den Mittelgang nach vorne bis an den Altar, auf dem ein Kruzifix stand. Als ich ein Kind war, schleppten mich meine Eltern jedes Wochenende zwecks geistig-moralischer Ertüchtigung in die Kirche. Dort hing so ein merkwürdig modernes Kreuz mit einem Jesus aus irgendeinem grauen Material. Er hing stocksteif daran, mit waagerecht ausgebreiteten Armen, als stilisierter Heiland sozusagen. Ich hatte mich schon damals gefragt, ob das eher dem Zeitgeschmack oder der Rücksicht auf schwächere Nerven zuzuschreiben war. Der Jesus, der in dieser Kapelle hing, sah dagegen elend aus. Mit schmerzverzerrtem Gesicht und dicken Nägeln in Händen und Füßen.

Ich mußte an eine Postkarte denken, die mir ein Freund einmal aus Rom geschickt hatte. Es war eine von diesen Karten, deren Motiv sich ein bißchen verändert, wenn man sie in einem bestimmten Winkel hebt oder senkt. Darauf war das Gesicht von Jesus zu sehen, und je nachdem, wie man die Karte bewegte, öffnete Jesus die Augen und sah flehend gen Himmel oder schloß sie wieder.

Es hatte etwas Vulgäres – wenn man die Karte schnell genug bewegte, fing der Heiland am Kreuz ganz kokett an, mit den Äuglein zu klimpern.

An dem Kruzifix in der Kapelle zwinkerte gar nichts. Jesus hatte seinen Kopf leicht nach unten und zur Seite geneigt, die Augen waren geschlossen. Ich stand da und starrte auf den Sterbenden, als mich plötzlich Martin am Arm faßte und aus der Kapelle zog.

Er zog mich in einen Fahrstuhl, und wir fuhren drei Stockwerke nach unten. Wir standen da und sagten kein Wort. Wir sahen uns nicht an. Wir sahen auf den Boden.

Martin   Wir hatten keine Ahnung, wo die Küche war, ich nahm an, daß sie irgendwo im Keller liegen mußte. Auf dem Weg dorthin landeten wir unfreiwillig in der Krankenhauskapelle. Die Kapelle war ein kleiner, düsterer Raum, Holzbänke rechts und links und vorne ein kleiner Altar, darüber der gekreuzigte Jesus. Rudi verschwand in dem Raum, während ich zwei Pflegern hinterherstierte, die uns auf unserer kleinen Exkursion fast erwischt hätten. Ich hatte keine Lust, irgendeinem Arzt oder Pfleger oder einer Schwester oder wem auch immer zu begegnen, auch wenn ich Rudi erzählt hatte, daß wir ja wohl Patienten seien und die uns nicht verbieten könnten, ein bißchen spazierenzugehen. Als die Pfleger weg waren, tappte ich ihm nach und fand ihn vor dem Altar wieder. Er stand da und stierte auf das Kreuz. Wie Jesus so da hing, sah er wirklich nicht besonders appetitlich aus. Durchbohrte Hände, durchbohrte Füße, vom Kopf lief das Blut herunter. Nicht gerade der Prototyp der Lebensbejahung, fand ich. Und nicht gerade ein besonders stimmungsfördernder Anblick, vor allem nicht in einem Krankenhaus. Eher ein Stimmungstöter. Irgendwie taktisch unklug.

Nachdem wir in einem Vorratsraum Salz und Zitronen

gefunden hatten, vergaßen wir ziemlich schnell den unschönen Anblick. Wir saßen auf dem Boden, machten die Flasche alle und laberten rum.

Rudi Nach ein paar Tequilas bekam Martin fast schon poetische Anflüge. Er fing an, vom Meer zu schwärmen. Er steckte die Hand in den Salzsack, zog sie wieder heraus und sagte mit verklärter Stimme: »Du stehst am Strand und atmest den salzigen Geruch des Windes ein, der über das Meer kommt...«, er leckte sich das Salz von der Hand, »...im Bauch das warme Gefühl grenzenloser Freiheit...«, er trank seinen Tequila, »...und auf den Lippen...«, er riß eine Zitrone auseinander, »...den bitteren, tränendurchtränkten Kuß deiner Geliebten«, er biß in die Zitrone, verzog das Gesicht, schüttelte den Kopf hin und her und machte ein zischendes Geräusch.

»Warum tränendurchtränkt?« fragte ich ihn.

Er stöhnte auf und sagte dann mit starkem Pathos in der Stimme: »Weil es der letzte Kuß ist, denn sie dir geben wird. Sie wird *dich* verlassen, und du wirst *sie* verlassen, weil eure Liebe keine Chance hat, obwohl ihr wißt, daß es die wahre Liebe ist, die einzige Liebe! Es ist die Liebe, auf die man nur einmal trifft in seinem Leben. Höchstens zweimal. Ihr wußtet es von Anfang an, von der ersten Sekunde an, ihr habt euch mitten in der Stadt getroffen, euch in die Augen gesehen, ihr seid aufeinander zugegangen, habt euch umarmt und geküßt! Ihr seid ins nächste Kaufhaus gegangen und habt es in der Umkleidekabine getrieben!« Seine Stimme wurde wieder normal. »*Darum* ist ihr Kuß tränendurchtränkt, du unsensibler Affe. Du hast offensichtlich noch nie eine Frau am Meer geküßt.«

»Stimmt«, sagte ich, »ich habe noch nie eine Frau am Meer geküßt. Aber das lag weniger an den Frauen, sondern vor allem daran, daß ich noch nie am Meer war.« Ich prostete ihm zu und kippte meinen letzten Tequila ohne die ganze Prozedur runter.

Martin starrte mich an: »Das ist doch jetzt nicht wahr! Du warst noch nie am Meer? NOCH NIEMALS EIN-MAL?«

Ich schüttelte den Kopf.

»Erzähl doch keinen Scheiß. Jeder war schon mal am Meer. Was haben denn deine Eltern früher mit dir gemacht? Eltern fahren mit ihren Kindern doch *immer* ans Meer. Im Sand buddeln, Burgen bauen und so 'n Zeug. *Müssen* Eltern nicht sogar mit ihren Kindern ans Meer fahren? Gibt es da nicht irgendeinen Paragraphen?«

»Ich bin nur zweimal mit meinen Eltern in Urlaub gefahren. Und beide Male in die Berge. Danach war nix mehr mit Urlaub, jedenfalls nicht mit meinen Eltern. Mein Vater hatte Knochenkrebs.«

»O 'tschuldigung, das wußte ich nicht.« Martin zündete sich eine Zigarette an, und ich fragte mich, ob in seinem Ausdruck etwas Verlegenes lag. Nach einer Pause fragte er: »Und mit Freunden? Oder mit einer Freundin?«

»Nee. Ich weiß auch nicht. Es hat sich wohl einfach nicht ergeben. Jedenfalls war ich noch nie am Meer.«

Wir schwiegen eine Weile. Dann sagte Martin: »Da klopfen wir beide hier an die Himmelstür und trinken unseren letzten Tequila zusammen. Ich meine, wir sind Abnippelexperten mit der Lizenz zum Sterben, und du, du warst noch nie am Meer. Ts.« Er drückte seine Zigarette auf dem Boden aus und steckte die Kippe in eine Zitronenhälfte. »Hast du eigentlich eine Ahnung, wie das ist, wenn man in den Himmel kommt?«

Ich schüttelte den Kopf.

Martin lehnte sich vor und sah mir tief in die Augen. Seine Stimme bekam etwas merkwürdig Weiches und Eindringliches: »Im Himmel reden alle nur über das Meer und darüber, wie wunderwunderschön es ist. Sie reden über den Sonnenuntergang, den sie gesehen haben, davon, wie die Sonne blutrot wurde, bevor sie ins Wasser tauchte...«

»Und wie es gezischt hat.«

»Klappe! Sie reden davon, daß sie spüren konnten, wie die Sonne ihre Kraft verlor, wie die Kühle heraufzog vom Meer. Sie reden über den Wind, der sie umweht hat. Sie erzählen sich, wie sie mit ihren Freunden und Freundinnen im Sand gelegen und auf die Sterne gewartet haben. Sie erzählen, wie sie mit ihren Händen über das Schilf gefahren sind, wie sie ihre Füße ins Wasser gestellt und zugeguckt haben, wie das zurückströmende Wasser sie langsam eingegraben hat. Sie erzählen sich von den Burgen, die sie gebaut und danach wieder kaputtgemacht haben. Sie erzählen von der schönsten Muschel, die sie dort gefunden haben. Sie erzählen von den Lagerfeuern, vor denen sie nachts gesessen haben. Und von dem nie endenden sanften Rauschen der Brandung.« Er zog eine Grimasse. »Tja, und du sitzt dann dabei und kannst nicht mitreden, weil du noch nie dagewesen bist.« Er machte eine dramatische Pause. »Da bist du aber angeschissen, Kollege.«

Ich muß zugeben, daß ich die Art, wie er vom Meer schwärmte, schön fand. Nach einer Weile sagte ich: »Hm. Und da kann man nichts machen?«

Martin hielt mir seine Zigarette vor die Nase und sagte: »Rauchen! Rauchen hilft!«

»Idiot. Wieso ausgerechnet Rauchen? Nee, nee, laß mal. Rauchen gefährdet die Gesundheit.«

Martin zog an seiner Zigarette, blies mir den Rauch ins Gesicht und sagte: »Hab ich Lungenkrebs?«

Frankie   Nicht anhalten, hab ich den beiden gesagt. NICHT anhalten! Irgendwie haben die Schätzchen das falsch verstanden, denn Abdul bretterte prompt über eine rote Ampel. Aber was Abdul macht, macht Abdul richtig. Abdul brettert nicht einfach über eine rote Ampel. Abdul brettert über eine rote Ampel, wenn gerade ein Junge über den Zebrastreifen spaziert. Aber man darf Abdul nicht für ganz blöd halten. Er hat immerhin auf die Bremse getreten, als er den Jungen gesehen hat. Leider beträgt der Bremsweg bei schätzungsweise 150 Stundenkilometern dann doch ein paar Zentimeter, und dummerweise hatte der Junge nicht damit gerechnet, daß zwei farbenblinde Volltrottel an diesem Abend unterwegs sein könnten. Tja, und darum küßte der Kleine erst die Motorhaube und dann die Bordsteinkante.

NICHT anhalten! Abdul und Henk *hielten an* und stiegen aus dem Auto. Der Junge hat sie ein bißchen angeranzt, was man ja auch irgendwie verstehen kann, und jammerte, daß sein Bein kaputt sei.

Als Henk mir die Geschichte erzählte, dachte ich nur: Scheiße, ich weiß nicht, was ich gedacht habe. Wahrscheinlich dachte ich nur: Scheiße, Scheiße, Scheiße. Der Junge hatte darauf bestanden, daß die beiden ihn in ein Krankenhaus fahren, damit sich ein Arzt sein Bein angucken könne. Was sie denn hätten machen sollen, heulte Henk, der Junge habe doch gesagt, er werde sonst die Bullen rufen, was hätten sie da denn machen sollen?

Tja, und da haben die beiden den Jungen brav ins nächste Krankenhaus kutschiert.

Abdul   Konnt ich nix für. Ampel macht viel zu plötzlich Rot, ging gar nicht auf Gelb. Direkt von Grün auf Rot. Außerdem ich war zu schnell. Ich fahr immer schnell. Hab ich mir Sprichwort ausgedacht: Wer schnell fährt, kommt schnell an.

Diesmal war ich *zu* schnell. Konnt ich nicht bremsen. Hab ich versucht. Bin voll auf Eisen gestiegen. Hab ich aber gleich gesehen, das klappt nicht früh genug mit stehenbleiben. Dann macht's bumm, und Junge sitzt auf Motor und guckt blöd. Dann fängt an mit Meckern. Sagt, ich bin bescheuert. Ich denk, Scheiße, wenn Beule auf Auto, Frankie wird sauer.

Henk   Daß Abdul aber auch immer rasen muß wie ein Irrer. Ich sag noch, *Abdul*, sag ich, *ras nicht wie ein Irrer, wir müssen den Wagen heil zu Curtiz bringen, und am Ende steht irgendwo die Bullerei und fischt uns ab.* Aber Abdul hat ja alles unter Kontrolle. »Ich hab alles unter Kontrolle«, hat er gesagt. Er hätte lieber sagen sollen, ich fahr alles über den Haufen, was sich mir in den Weg stellt! Abdul hat immer alles unter Kontrolle, bis er die Kontrolle über alles verliert.

Martin   Die Idee, ans Meer zu fahren..., tja, wann ist die mir gekommen? Ich war schon ziemlich breit nach der Flasche Tequila. Zwar nicht so breit wie Rudi, aber ich hätte auch kein Rad mehr schlagen können. Wahrscheinlich bin ich auf die Idee gekommen, als Rudi mir erzählte, daß er noch nie am Meer war. Mensch, da sitzen wir halb besoffen auf dem Fliesenboden im Vorratsraum eines Krankenhauses und können die Tage, die uns noch bleiben, an unseren Fingern abzählen. *Ich* konnte es jedenfalls. Was hatte ich also zu verlieren? Wenn ich schon krepieren muß, dann möchte ich aber wenigstens das Meer dabei sehen.

Rudi   Nach dem Tequila war ich wohl nicht mehr ganz auf der Höhe. Anders kann ich mir nicht erklären, wieso ich mich auf Martins Vorschlag eingelassen habe. »Komm, wir bestellen uns ein Taxi und fahren ans Meer«, sagte er plötzlich und wurde ziemlich aufgeregt.

»Jetzt?«

»Klar, jetzt. Wann denn sonst?«

»...«

»Morgen sind wir vielleicht schon tot.«

»Aber wir können doch nich einfach wegfahrn. Wie weit issas Meer denn weg? Da sind wir doch 'n halben Tag unterwegs. Mindestens. Da fährt uns doch *kein* Taxifahrer hin.«

»Taxifahrer fahrn einen überall hin. Steckt doch schon im Wort. Taxi ist lateinisch oder griechisch und heißt ›Autos, die einen überall hinfahren‹.«

»Blödmann.«

»Schlag doch im Wörterbuch nach.« Martin sprang mit einer, wie ich fand, erstaunlichen Körperbeherrschung auf. Ich hatte schon Mühe, gerade sitzen zu bleiben. »Los, komm schon, wir suchen die Nachtschwester und fragen mal.« Er griff meine Hand und zog mich hoch.

Zwei Stockwerke weiter oben sahen wir in einem Büro eine Schwester an einem Schreibtisch sitzen und in einem Magazin blättern. Sie hat gemerkt, daß wir nicht mehr ganz nüchtern waren, was aber auch keine besondere psychologische Leistung gewesen war. Und in unseren Pyjamas machten wir wohl auch keinen besonders ehrfurchteinflößenden Eindruck.

Als ich zum ersten Mal mit einem Freund so richtig betrunken in eine Disko wollte, hatte ich mich noch darüber gewundert, daß mich der Türsteher anhielt. Ein paar Meter vor dem Eingang hatte ich meine Konzentration zusammengenommen und war mit, wie ich fand, bestechend sicherem Schritt auf ihn zugegangen. Als ich die Tür passieren wollte, drückte er mir seine Pranke vor die Brust. »Na, ihr zwei, ihr habt ja wohl schon genug getrunken«, sagte er. Wir waren beide so perplex, daß wir kein Wort rausbrachten. Der Typ guckte uns ernst, aber nicht unfreundlich an. Also drehten wir uns um und schwankten davon und waren beeindruckt von der Menschenkenntnis des Türstehers.

Gabi Meyer, Krankenschwester   Meine Güte, ich hab mich vielleicht erschrocken, als die beiden Herrschaften plötzlich im Zimmer standen! Mitten in der Nacht rechnet man vielleicht damit, daß plötzlich die Klingel losgeht und irgendein Patient nach irgendeinem Mittelchen ruft, aber man ist ja wohl kaum darauf vorbereitet, daß sich zwei Patienten (in Schlafanzügen!) von hinten an einen ranschleichen. Außerdem hatte ich gerade in einer Zeitschrift geblättert, ähm, in einem Magazin. Im Playgirl-Magazin. Lag da rum, keine Ahnung, wem es gehörte...

Ich stopfte die Zeitschrift unter den Tisch und wirbelte herum. Ich sah sofort, daß die beiden nicht mehr ganz nüchtern waren. Sie waren erst seit ein paar Stunden im Krankenhaus, und eine Kollegin hatte mir erzählt, daß sie hoffnungslose, Fälle seien. Außerdem hatte der eine, dieser Herr Brest, eine ziemlich große Klappe. Sah dafür aber auch ziemlich gut aus, hatte ein bißchen was von Brad Pitt.

Ich fragte: »Was machen *Sie* denn hier?«, und es sollte durchaus ein bißchen streng klingen.

Der eine, dieser Herr Brest, trat einen Schritt ins Zimmer und sagte: »Könnten Sie uns bitte ein Taxi rufen?«

Der andere ergänzte mit der typisch lauten Stimme eines Betrunkenen: »Oder fährt jetzt noch 'n Bus?«

Auf so was freut man sich besonders, wenn man Nachtschicht hat. Auf so was wartet man geradezu. Anstatt in Ruhe dasitzen zu können, muß man sich um betrunkene Patienten kümmern! Ich fragte mich, wo die beiden den Alkohol herhatten? Ich stand auf, ging um den Schreibtisch herum und sagte, was wir alle drei längst schon wußten: »Um Himmels willen, Sie sind ja völlig betrunken.«

Sie erwiderten, daß sie ja deshalb mit einem Taxi fahren wollten.

Ich verstand kein Wort und versicherte den beiden, daß sie heute bestimmt *nicht* mehr mit einem Taxi irgendwohin fahren, aber statt dessen jede Menge Ärger bekommen würden, und bat sie, wieder auf ihre Zimmer zu gehen.

Der andere, der mit diesem komischen Nachnamen – er hieß so wie diese Musikboxen, Wurlitzer – quakte: »Wir fahren ans Meer! Damit ich im Himmel mitreden kann!«

Ich verlor langsam die Geduld, und das nicht nur, weil ich immer noch kein Wort verstand: »Sie fahren *nicht* ans Meer! Sie fahren nirgendwohin! Was reden Sie eigentlich für ein Zeug?«

Herr Brest sah mich an: »Rufen Sie uns jetzt 'n Taxi oder nich oder was?«

Mir reichte es. Ich hatte keine Lust, die ganze Nacht lang über Sachen zu diskutieren, deren Sinn mir völlig unklar war. Ich ging wieder zu meinem Stuhl und setzte mich hin: »Nee!«

»Auch gut«, sagte Brest. »Fahrn wir eben mim Auto. Aber machen Sie uns hinterher keine Vorwürfe.«

Ich kniff die Augen zusammen und nickte beiden nur zu – so wie man zwei bockigen Kindern zunickt.

Du liebe Zeit, hätte ich denn ahnen können, was die beiden danach machten?

Martin   Natürlich nahm die Krankenschwester uns nicht für voll, als wir sie darum baten, uns ein Taxi zu rufen. Was blieb uns also anderes übrig, als uns selbst um eine Fahrgelegenheit zu kümmern?

3.

Woher hast du die Pistole?

Martin   Ich hatte ja schon viel Mist gebaut in meinem Leben, aber ein Auto hatte ich noch nicht geknackt.

Wir fuhren mit dem Aufzug in die Tiefgarage und spazierten an den Autoreihen entlang.

Es war wie Gedankenübertragung. Wir blieben beide in derselben Sekunde vor demselben Auto stehen.

»Hey«, rief Rudi, »dassis ja 'n scharfes Auto. Ich wollte immer schon mal in som Ding fahren.«

Ein weißer Mercedes 230 SL aus den Sechzigern oder Siebzigern, der Schlitten war schon eine Antiquität, aber noch absolut in Schuß. Immerhin hatte Rudi Geschmack. Ich ging zur Fahrertür und sagte: »Den nehmen wir.«

Rudi stand auf der Beifahrerseite. »Und wie?«

Ich zuckte mit den Achseln. »Keine Ahnung. Scheibe einschlagen.«

Rudi griff an die Türklinke, und unversehens öffnete sich die Beifahrertür. Er stieg ein.

Ich drückte an meiner Seite die Klinke runter. Ebenfalls offen! Ich setzte mich rein und guckte Rudi an. Er zeigte keinerlei Reaktion, und es schien für ihn das Normalste von der Welt zu sein, daß in der Tiefgarage eines Krankenhauses ein nicht verschlossener, halb antiker Mercedes stand. Ich betrachtete das Zündschloß. »Ich hab noch nie 'n Auto geknackt.«

Rudi rülpste und sagte: »Da musse draufhauen.«

»Auf das Zündschloß?«

»Ja, ich hau überall drauf, wenn was nich funktioniert.

Auffen Fernseher, auffen Computer. Klappt immer. Draufhauen.« Er patschte mit seiner linken Hand auf das Zündschloß und stierte mich dann an: »Klappt nich.« Er machte eine entschuldigende Handbewegung und klappte auf meiner Seite die Sonnenblende herab. Die Autoschlüssel klimperten in meinen Schoß. Rudi guckte mich an und hob die Hände und sagte: »Voilà. Le autoschlüsell.«

Ich steckte den Schlüssel ins Schloß und drehte ihn um.

Frankie   Ach, Henk, ach, Abdul, womit hatte ich zwei so hervorragende Mitarbeiter wie euch eigentlich verdient?

Anstatt daß sie dem Kleinen einen Hunni in die Pfoten drücken und ihm dann einen Arschtritt geben, fahren sie ihn also brav ins Krankenhaus. Sie sagen den Pflegern, daß sie es eilig haben. Sie sind überrascht, daß die Pfleger nicht alles stehen- und liegenlassen, als das Trio durch die Tür marschiert – ein humpelnder Junge und zwei dezent dunkel gekleidete Herren. Sie sind noch überraschter, daß die Pfleger darauf bestehen, daß ein Arzt den Jungen untersucht. Es ist ein Trauerspiel!

Henk sagt, daß sie einen wichtigen Job zu erledigen hätten. Ich wundere mich, daß Henk nicht gesagt hat, daß sie eine Million zu Curtiz fahren müssen, »und wenn wir nicht pünktlich sind, macht uns Curtiz Ärger, Curtiz ist nämlich 'ne ganz große Nummer im Drogengeschäft, genau wie unser Boß, Frankie ›Boy‹ Beluga, und wenn ihr's nicht glaubt, könnt ihr ihn ja anrufen, hier habt ihr Adresse und Telefonnummer, wird allerdings ein Auslandsgespräch, Frankie wickelt seine Geschäfte nämlich von Holland aus ab«.

Der Junge schnauzt die Pfleger an, daß sie die beiden Idioten bloß nicht laufen lassen sollen – ich gebe zu, daß der Knabe wirklich eine ziemlich große Fresse gehabt

Martin Brest (Til Schweiger)

Rudi Wurlitzer (Jan-Josef Liefers) auf dem Weg in die Klinik.

Ein kleiner Unfall mit großen Folgen: Henk (Thierry van Werveke, links) und Abdul (Moritz Bleibtreu, rechts) haben ein Problem (Tobias Schenke, Mitte).

Manche Probleme werden am besten auf altbewährte Art gelöst – das muß auch die Krankenschwester (Muriel Baumeister) feststellen.

Zwei ungleiche Freunde (Jan-Josef Liefers, Til Schweiger), eine Menge Zitronen, Salz, Tequila – und eine Idee!

hat, und vermutlich hätte ich sie ihm schon längst poliert.

Jedenfalls, Abdul und Henk stehen mehr oder weniger dumm rum, hören sich ergeben die Vorwürfe der Pfleger und die Frechheiten des Kleinen an, bis irgendwann bei Abdul der Geduldsfaden reißt. Er zieht seine Knarre und brüllt: »Hände hoch! Weg hier! Platz machen!« Tolle Idee von Abdul, was?

Ein Pfleger fragt, was die Scheiße denn solle.

Abdul fuchtelt mit der Knarre in der Luft rum. »Nix Scheiße! Wir haben eilig, sagen Henk! Wir gehen!«

Die Pfleger nicken zustimmend, eine Ambulanzschwester sagt: »Ja, sicher, gute Idee. Wir kümmern uns um den Jungen.«

Bloß der kleine Flachwichser kann die Klappe nicht halten und sagt von seiner Bank aus: »Hey, ihr laßt die beiden doch nicht gehen? Das gibt nur Ärger mit der Versicherung, ich kenn mich da aus. Wer soll denn die Operation zahlen, wenn mein Bein gebrochen ist?«

Also geht Abdul mit seiner Knarre auf den Kleinen zu. Er legt dem Jungen die Hand mit der Pistole um den Hals und fragt ihn: »So Bruder. Jetzt noch mal genau überlegen. Wie geht dein Bein jetzt?«

Der Kleine macht große Augen. »Geht schon wieder.«

»Tut noch weh?«

»Nein, nicht mehr so richtig.«

»Aha, Schmerz weg?«

»Ja, ja, Schmerz weg. Ganz weg. Mir geht's prima. Alles klar. Ich muß sowieso langsam nach Hause.«

»Gut, hier kommen neue Schmerz, damit du weißt, wie sich anfühlt.« Und dann zieht Abdul dem Jungen mit der Pistole eins über die Rübe, sagt: »Kleine Wichser«, dreht sich um und geht.

Herrlich, was? Er zückt vor versammelter Mannschaft eine Knarre und haut einen Jungen k. o., den er kurz vorher über den Haufen gefahren hat. Vermutlich war Abdul darüber überrascht, daß die Pfleger ihm nicht applaudiert, sondern die Bullen gerufen haben.

Abdul Konnt ich nix für. Ich mag kleine Kinder. Hab gute Verhältnis mit alle Kinder. Hab kleine Neffe, kann ich stundenlang mit spielen. Aber das hier war kein Kind, das war Monster. Hatte auf ganze Fahrt in Krankenhaus gemeckert und mich Idiot genannt. Bloß weil ich umgefahren hab. Und in Krankenhaus meckert weiter. Und Henk steht nur da. Da ist mir Kragen geexplodiert. Bumm. Konnt ich nix für.

Henk Ich hatte Frankie schon oft gesagt, daß Abdul zu impulsiv ist. Nachdem er den Jungen k. o. geschlagen hatte, sahen wir zu, daß wir zum Auto zurückkamen. Als wir zum Aufzug kamen, standen da drei Pfleger mit einer Trage, auf der ein Patient lag. Der Aufzug öffnete sich gerade, und ein Pfleger schob den Patienten hinein. Nach Abduls Auftritt war sowieso schon alles egal. Wir zogen unsere Pistolen und zielten auf die Pfleger. Sie hoben wortlos die Hände, und der Pfleger, der den Patienten in den Aufzug geschoben hatte, trat wieder heraus.

Ich drückte auf den Knopf für die Tiefgarage, und die Tür schloß sich. Ich blickte auf die Uhr. Plötzlich wurde der Typ hinter uns wach. Na ja, was man so wach nennt, wenn einer aus der Narkose aufwacht. Hob den Kopf ein bißchen an und lallte: »Ist die Operation schon vorbei?«

Ich blickte Abdul an, dann drehte ich mich um und beugte mich zu dem Mann hinab. »Ja. Sie sind im Himmel. Ich bin der liebe Gott, und der freundliche Herr neben mir ist Petrus.«

Abdul hob die Hand zum Gruß. »Salemaleikum.«

Der Typ schien weniger zufrieden zu sein mit der Antwort. Er stöhnte und ließ sich wieder auf die Trage fallen.

Jürgen Trenkler, Patient   Also ehrlich! Ein tolles Krankenhaus war das! Soll ich mal sagen, wo man da nach einer Operation aufwacht? Im *Fahrstuhl!* Ich lag auf meiner Liege mutterseelenallein in einem *Fahrstuhl!* Ich bin wirklich nicht wehleidig, aber wenn man nach einer Operation aufwacht, sollte man doch ein bißchen umsorgt werden, finde ich. Immerhin hatten sie mir den Blinddarm rausgenommen – hoffte ich zumindest. Und da sollte doch wenigstens eine Schwester in der Nähe sein, die einem ein Glas Wasser bringt, oder so was. Jedenfalls sollte man nicht in einem *Fahrstuhl* aufwachen! Das nennt man wahrscheinlich Kostendämpfung. Vermutlich hat der Arzt seine Schere in meinem Bauch vergessen. Mir ist ohnehin so oft flau im Magen in letzter Zeit.

Außerdem hatte ich einen ziemlichen Mist geträumt: Irgendwie war mir so, als hätte ich an die Himmelstür geklopft. Ich dachte, ich sei aufgewacht und hätte Gott und Petrus gegenübergestanden. Und was das Beste war: Petrus war ein Araber! Ehrlich, was man in der Narkose für einen Blödsinn träumt. Insofern hätte ich mich auch nicht gewundert, wenn ich auf der Stockwerkanzeige im Fahrstuhl einen Knopf für Himmel und einen für Hölle gefunden hätte.

Henk   Als wir aus dem Fahrstuhl kamen, standen wir direkt vor einem Wagen. Ein Typ kurbelte das Fenster runter und fragte, wie er aus der Garage komme.

»Da vorne runter und dann nach links«, sagte ich hastig.

Der Typ hob die Hand, bedankte sich, und der Wagen fuhr los.

Wir gingen zu unserem Fahrzeug zurück. Auf dem Weg meinte Abdul: »Hast du gesehen? Die haben das gleiche Auto wie wir.«

Anstatt des Autos erwartete uns lediglich eine Parklücke, und wir starrten uns fassungslos an. Ja, ja, ich hab nicht besonders schnell reagiert, als mich die Typen in unserem Wagen nach der Ausfahrt fragten. Mann, ich war verdammt nervös wegen Abduls dämlichem Auftritt vor den Pflegern und machte mir einen Kopf, um möglichst schnell aus dem Krankenhaus zu kommen. Mann, wenn ich Frankie *das* auch noch erzählt hätte, hätte er uns gleich umgenietet. Also hab ich ihm gesagt, daß unser Auto geklaut worden sei. Das reichte ja auch schon. Er hat ordentlich gewürgt, aber er hat es immerhin geschluckt. Zum Glück kam er nicht auf die Idee, sich von Abdul die Schlüssel zeigen zu lassen. Ehrlich, ich hatte keine Ahnung, daß er sie einfach hinter die Sonnenblende steckt, der Idiot, ich dachte, er schließt ab, und die Karre hat schließlich Zentralverriegelung.

Als wir uns umdrehten, sahen wir, wie unser Mercedes die Ausfahrtschranke durchbrach. Mist, dachte ich, das gibt bestimmt 'ne Beule.

Rudi   Keine Ahnung, wann ich eingeschlafen war und wie lange ich geschlafen hatte. Das letzte, woran ich mich erinnern konnte, war, daß ich mit Martin in irgendeinem Büro des Krankenhauses gestanden hatte.

Ich wurde durch einen lauten Knall wach. Ich öffnete die Augen und sah eine grüne Wiese, über die der Nebel zog. Ich hatte keinen blassen Schimmer, wo ich war. Ich blickte nach rechts aus meinem Fenster und sah ebenfalls eine grüne Wiese, über die Nebelschwaden zogen. Ich schmatzte ein paarmal und schmeckte den Tequila-Zitronen-Salz-Geschmack. Ekelhaft, ein Würgegefühl kroch meinen Hals hoch. Ich bekam Durst. Dann blickte ich auf die Uhr am Armaturenbrett des Wagens. Null, sieben, Doppelpunkt, null vier. Ich sah nach links aus dem Fenster und sah ausnahmsweise mal eine grüne Wiese, über die Nebelschwaden zogen. Und ich sah Martin, die

Arme von sich gestreckt – und in den Händen? Ich machte die Augen zwei Sekunden zu und dann wieder auf. Er hatte eine Pistole in den Fingern und zielte auf einen Zaunpfahl. Es knallte erneut.

Ich öffnete meine Tür, stieg aus und ging auf Martin zu.

Als er mich kommen sah, ließ er die Waffe sinken, grinste und hob die rechte Hand.

»Schönen guten Morgen«, sagte er, als ich bei ihm war.

»Woher hast du die Pistole?«

»Danke, ich hab auch gut geschlafen. – War im Handschuhfach.« Er zeigte an mir vorbei auf das Auto. »Guten Morgen, übrigens.«

»Wie, im Handschuhfach? Wieso liegt da eine Pistole drin? Was ist das überhaupt für ein Auto?«

»Guten Morgen. Das ist ein Mercedes.«

»Ich meine, wem gehört er?«

»Keine Ahnung. Wir haben ihn doch geklaut. Ein schöner Morgen, nicht wahr?«

»Ja, ja, guten Morgen«, sagte ich genervt. Ich ließ meinen Blick über die Landschaft gleiten. Mir ging das alles ein bißchen zu schnell am frühen Morgen. Ich faßte mir an die Stirn und rieb sie. »Wir haben das Auto *geklaut?* Ich meine, du und ich? Was habe *ich* gemacht? *Ich* habe ein Auto geklaut?«

Martin grinste immer noch. »Na hör mal, erinnerst du dich nicht mehr? Du hast doch das Türschloß geknackt und das Zündschloß obendrein, und dann hast du dem Besitzer eine verpaßt, von der er sich vermutlich jetzt noch nicht erholt hat.« Er gluckste albern.

»Laß den Scheiß. Ich hab einen totalen Filmriß. Ich kann mich nur noch daran erinnern, daß wir Tequila getrunken haben und in irgendeinem Büro standen.«

»Böser Tequila.«

»Also noch mal langsam«, sagte ich und zeigte auf Martin. »Brest, stimmt's? Martin Brest.« Immerhin, an den Namen erinnerte ich mich noch.

Martin zeigte auf mich. »Rudi, stimmt's? Rudi Wurlitzer. Der Erfinder der gleichnamigen Musikkisten. Also, Herr Wurlitzer, um Ihre Erinnerung mal ein bißchen aufzufrischen: Wir sind unterwegs ans Meer.«

»...?«

»Du warst noch nie am Meer, erinnerst du dich? Also haben wir beschlossen hinzufahren.«

Ich konnte mich an nichts mehr erinnern. Und ich konnte mir auch nicht vorstellen, daß ich ans Meer wollte. Oder zumindest *jetzt* noch wollte.

»Willst du zurück in dein Krankenbett und darauf warten, daß Du abkratzt?« sagte Martin, als hätte er meine Gedanken erraten. »Also ich mach das nicht.«

Ich hatte die ganze Zeit, seitdem ich aufgewacht war, nicht mehr daran gedacht, daß ein paar Stunden zuvor ein Arzt bei mir eine tödliche Krankheit festgestellt hatte. »Verdammt, du hast Krebs«, erinnerte ich mich, »du bist todkrank, du bist zum Sterben verurteilt.«

Merkwürdig. Ich hatte oft darüber nachdenken müssen, was wohl Menschen fühlen am Tag danach, nachdem sie ein einschneidendes Erlebnis hinter sich haben. Nachdem sie zum ersten Mal mit jemandem geschlafen haben, zum Beispiel. Oder nachdem sie meinetwegen jemanden umgebracht haben. Irgendwas eben, was nicht mehr rückgängig zu machen ist, was das Leben von Grund auf verändert. Oder wovon man zumindest bis dahin glaubte, daß es das Leben von Grund auf verändern würde. Ich hatte erfahren, daß ich Krebs hatte, und jetzt stand ich hier im Pyjama und mit einem dicken Kopf auf einer Wiese irgendwo in Deutschland, neben einem Typen, den ich seit ein paar Stunden kannte, von dem ich nicht viel mehr als den Namen wußte und der mit einer Pistole auf einen Zaunpfahl zielte. »Ich wollte doch noch eine Chemotherapie machen«, sagte ich, aber der Satz kam mir in dieser Situation seltsam deplaziert vor.

»Willste, daß dir die Haare ausfallen?«

Ich schüttelte den Kopf.

»Na siehste.«

Ich wußte nicht, was ich sagen sollte. Ich versuchte nachzudenken, aber ich kam zu keinem Ergebnis. Wir standen eine Weile herum. Schließlich drehte sich Martin wieder zu dem Zaunpfahl, zielte und schoß. Er traf nicht.

»Wo sind wir hier eigentlich?«

Martin zuckte mit den Schultern. »Keine Ahnung, irgendwo zwischen Nürnberg und Köln.« Er schoß erneut und traf wieder nicht.

Ich sagte: »Ich würde ja auch gerne ans Meer. Aber ich habe ein bißchen Angst, ehrlich gesagt.«

Martin drehte sich um. Er zögerte einen Moment. »Ich weiß«, sagte er dann. »Aber du brauchst keine Angst zu haben.«

Er sah mich ein paar Sekunden ernst an. Dann lächelte er.

Abdul   Mann, Chef war sauer. Stand vor uns und schreit und schreit und schreit. Will wissen, warum ich Jungen vor Kopf geschlagen habe. Hab ich gesagt, daß Junge kein Junge, sondern Monster war, und daß mir Kragen explodieren. Chef sagt, Kragen platzt, nicht explodiert. Dann hat mich vor Bauch geschlagen. Chef hat richtige Schlag drauf. Voll auf Bauch. Mann.

Henk   War wirklich verdammt schlau, daß ich Frankie die Sache mit den Autoschlüsseln nicht auf die Nase gebunden habe. Er hatte ohnehin schon eine Stinkwut. Wir standen in seinem Büro, er einen halben Zentimeter vor uns und schrie und brüllte und verteilte seine Spucke auf unseren Gesichtern. Wagen nicht verlassen, Karre nicht aus den Augen lassen, keine Sekunde – wußten wir doch alles, ich meine, uns war klar, daß wir eine echt qualmende Scheiße gebaut hatten. Dampfende Scheiße, hat Frankie gesagt.

Frankie stand da und brüllte Abdul an: »HAB ICH DAS GESAGT, ODER HAB ICH DAS NICHT GESAGT?«

»Hast du gesagt, Chef«, sagte Abdul.

Ansatzlos rammte Frankie seine Faust in Abduls Magen. Abdul ging nach vorne und röchelte nach Luft. Scheiße, mir war klar, daß ich mir auch noch eine fangen würde.

Frankie guckte mich an. Ich spannte meine Bauchmuskeln an. »UND WARUM HALTET IHR EUCH NICHT AN DAS, WAS ICH EUCH GESAGT HABE?«

»Frankie, wir haben dir doch gesagt, dieser Junge, dieses kleine Großmaul, und Abdul...« Weiter kam ich nicht. Einen Moment dachte ich, ich müßte Frankie das Büro vollkotzen, als seine Faust meinen Magen streichelte.

Frankie Ich hab den beiden Schätzchen gesagt, daß sie sich ihre verfickten Ausreden gegenseitig in den Arsch stecken könnten, wenn ihnen das gefiel. Ich habe ihnen gesagt, daß ich sie auf der Stelle umlegen könnte, daß ich sozusagen das *Recht* dazu hätte. Ich habe ihnen gesagt, daß ich ihnen noch *eine* Chance gebe. Ich habe ihnen gesagt, daß sie mir den Wagen zurückholen sollten, und die beiden Wichser, die ihn geklaut hatten, dazu, und zwar auf einem Tablett serviert, mit einem Tranchiermesser daneben und mit einem Apfel im Mund. Ich habe ihnen dringend geraten, sich zu beeilen.

4.

Wenn das so weitergeht,
haben wir bald ein echtes Problem

Martin   Vielleicht war es der Restalkohol, der mich vom klaren Denken abhielt. Jedenfalls hatte ich keine einzige Sekunde einen Gedanken daran verschwendet, daß wir keinen Pfennig Geld in unseren Pyjamataschen hatten.

Wir standen an einer Tankstelle, Rudi saß im Wagen und führte einen einsamen Kampf mit einer Straßenkarte, die er im Handschuhfach gefunden hatte. Ich stand draußen und sah dem Zählerstand an der Zapfsäule zu. Als der Tank voll war, klackte es, und der Zähler blieb bei paarundachtzig Mark weißnichtwas stehen. Ich griff in meine Hosentasche, jedoch pflegte ich mein Portemonnaie leider nicht im Pyjama mit mir herumzutragen.

Wir hatten nun ein Problem.

Ich beugte mich zu Rudis Fenster, schlug auf das Wagendach und fragte ihn, ob alles in Ordnung sei.

Er tauchte kurz hinter dem Plan auf, grinste und sagte: »Jetzt wird mir einiges klar. Das ist eine Straßenkarte.«

»Das ist schön.« Ich grinste ebenfalls und machte mich auf den Weg zum Kassenhaus.

Klaus Dorn, Tankwart   Ich bin jetzt seit zwölf Jahren Tankwart. Ich kann Ihnen sagen, da sieht man so manchen merkwürdigen Typen. Aber einer, der im Schlafanzug vorfährt, war selbst mir noch nicht untergekommen. Ich beobachtete, wie er den Tank füllte und schließlich

auf mich zukam. Ich dachte mir, Klaus, jetzt biste aber
mal gespannt, was nu' passiert.

Martin   Als ich in den Laden kam, war der Tankwart
schon so blöd am Grinsen. Ich konnte es ihm allerdings
auch nicht verübeln. Ich schlenderte zur Theke, und der
Tankwart spielte den Coolman ziemlich überzeugend:
»Morgen.«

»Morgen.«

Er blickte kurz nach draußen und sagte: »Die Nummer
vier?«

Witzbold.

Er tippte auf eine Tastatur und sagte: »Macht 87 Mark
und 73 Pfennige, der Herr.«

»Ich weiß. Äh, ich hab leider kein Geld dabei.«

Er zog die Augenbrauen hoch: »Du fährst einen 230 SL,
trägst so einen schicken Schlafanzug und hast keine
Knete?«

»Klingt blöd, was?«

»Hm.« Er tat so, als würde er überlegen. Schließlich
sagte er: »Dann laß mir doch deinen schicken Anzug da.«
Er brach in ein kollerndes Lachen aus, von dem er sich
aber schnell wieder erholte.

»Da wär ich ja nackt«, sagte ich ohne große Lust, ihn
noch länger anzugrinsen.

»Tja. Da haben wir jetzt wohl ein dickes Problem, Kollege.«

»Das sehe ich ähnlich.«

Der Tankwart stützte sich auf die Theke. »Un' watt
nu'?«

Rudi   Ich hatte Kopfschmerzen, mir war speiübel,
und Martin hatte unterwegs zweimal scharf bremsen
müssen, um mich aus dem Wagen zu lassen. Und dann
auch noch das: Ich dachte, mich trifft der Schlag, als ich

von der Karte aufblickte und zum Kassenhaus hinüber-
sah. Da stand Martin und hielt dem Tankwart die Pistole vor die Nase. Ich faltete die Karte halbwegs ordentlich
zusammen, warf sie auf den Fahrersitz, stieg aus und
stürzte auf das Kassenhaus zu.

Klaus Dorn   Kurz nachdem Schlafanzug Nummer 1
die Pistole aus der Hose gefallen war, kam Schlafanzug
Nummer 2 in den Laden gerannt. Irgendwo mußte wohl
eine Pyjamaparty gewesen sein. Ich fragte mich, wer wohl
als nächstes durch die Tür kommen könnte. Vielleicht das
Sandmännchen höchstpersönlich? Oder irgendein Team
von der ›versteckten‹ Kamera‹?

Martin   Rudi kam wie ein angestochenes Ferkel in
den Laden gesprungen und schrie, ich solle keinen
Quatsch machen.
 Der Tankwart hielt zwar die Hände in der Luft, fühlte
sich aber durch Rudis Auftritt darin bestärkt, weiter den
Obercoolen zu spielen. »Na prima. Endlich kommt mal
einer mit einem vernünftigen Vorschlag... Und einem
ähnlich schicken Anzug.«
 Ich sagte dem Tankwart, daß er die Schnauze halten, und zu Rudi, daß er sich wieder ins Auto setzen
solle.
 Rudi kam auf mich zu. »Komm schon, leg die Pistole
weg. Das ist nicht mehr lustig.« Der Tankwart nickte zu-
stimmend.
 »Ich leg gar nichts weg, also warum gehst du nicht.
Oder kannst du mir erzählen, wie wir bezahlen sollen?«
 »Ich will mit so was nichts zu tun haben. Das ist kein
Spaß mehr, das ist bewaffneter Überfall, was du hier
machst.«
 »Im Moment ist es ja wohl nur bewaffnetes Die-Waffe-
vor-die-Nase-halten. Außerdem konnte ich nichts dafür,

das blöde Ding ist mir aus der Hose gerutscht. Und ich hab ja noch gar nichts gemacht.«

»Aber du hast was vor.«

»Ich hab gar nichts vor. Ich wollte bloß mal sehen, wie der Mann reagiert.« Rudi blickte mich verständnislos an. Ich sagte: »*Natürlich* habe ich was vor. Wir haben kein Geld. Oder hast du Geld?«

»Wieviel brauchen wir denn?«

»Was soll das? Ist doch wohl scheißegal, wieviel wir brauchen! Selbst wenn wir nur zwei Mark fünfzig brauchten, ständen wir dumm da. Wir haben nämlich nicht mal einen Pfennig!«

»HEY, JUNGS!« Wir blickten zum Tankwart. »Nur mal so ein kleiner Tip am Rande. Ihr gestattet doch?« Er ließ lässig die Arme sinken. »Meine Hände schlafen gleich ein. Vielleicht solltet ihr euch demnächst *vor* einem Überfall darüber unterhalten, wie ihr das Ding drehen wollt. Dabei könntet ihr auch gleich die Kleiderfrage klären. So geschmackvoll ich eure Schlafanzüge nämlich auch finde, ihr wirkt nicht gerade überzeugend darin. Wenn ihr also noch eine Bank knacken oder den Bundeskanzler entführen wollt, zieht euch vorher was anderes an. Im übrigen: Zeit ist Geld, und ihr verplempert gerade meine Zeit und damit auch mein Geld, klingt doch logisch, oder?«

Der Kerl hatte wirklich Nerven. Ich meine, immerhin hielt ich ihm eine Knarre vor die Nase, und der zeigte nicht die geringste Angst. Hatte er eine schußsichere Weste an? Oder stand im Nebenraum ein Sondereinsatzkommando? Ich hatte keine Ahnung, was ich machen sollte. Rudi und ich schauten ein paar Sekunden erst uns an und dann Mr. Große Klappe. Er stand bloß da und griente. Schließlich wurde mir die Sache zu bunt, und außerdem fand ich, daß ich so langsam nicht mehr alles unter Kontrolle hatte. Ich schnauzte den Tankwart an:

»Jetzt halt mal die Klappe. Du gehst mir nämlich gehörig auf den Sack. Die Pistole hier ist echt.«

Der Typ lehnte sich locker nach vorne. »Das glaub ich dir ja gerne, mein Sohn. Aber ich habe keine Angst. Was sagste nu'?« Eigentlich hatte ich auch gar nicht damit gerechnet, daß er sich davon einschüchtern ließ, und ich fragte mich allmählich, woher er sein übersteigertes Selbstbewußtsein nahm.

Er blickte auf die Uhr. »Ich will euch jetzt mal was erklären. Wir haben jetzt zwei Minuten vor zehn. Um Punkt zehn Uhr tritt durch diese schöne gläserne Tür hinter euch ein Freund von mir, und dieser Freund ist Polizist. Der langweilt sich so sehr in seinem Dienst, daß er jeden Morgen um zehn hier vorbeikommt. Dann trinkt er einen Jägermeister und guckt, ob alles seinen ordentlichen Gang geht, ob meine Kunden auch brav das Benzin bezahlen, das sie in ihre Autos gezapft haben, oder ob zum Beispiel ein paar wildfremde Herrschaften in Schlafanzügen mich mit einer Knarre bedrohen. So sieht's aus... Und jetzt seid ihr dran.«

Rudi sagte: »Mensch Martin, wenn das so weitergeht, haben wir bald ein echtes Problem.« Ich hätte ihn ohrfeigen können.

Dann hörte ich das Knattern eines Motorrades und blickte auf die Uhr, die hinter dem Tankwart an der Wand hing.

Rudi   Verdammt, verdammt, verdammt! Martin, du durchgeknallter, hirnverbrannter, Vollidiot! Du hast uns in diesen Schlamassel gebracht, also hol uns hier wieder raus.

Martin   Als Tankwart im Schlafanzug hatte ich kaum Chancen auf einen Oscar für die Kostüme, fand ich. Ich schnappte mir aus einem Regal ein Abschleppseil und eines von diesen Schwämmchen, mit dem man beschlagene Autoscheiben abwischt. Ich überredete Rudi, den Tankwart festzuhalten, damit ich ihm den blauen Kittel ausziehen kann. Dann überredete ich den Tankwart, sich von Rudi festhalten zu lassen, damit ich ihm seinen blauen Kittel ausziehen kann. Ich warf mir den blauen Kittel über, fesselte den Tankwart, quetschte ihm den Schwamm in den Mund und drückte ihn und Rudi unter den Tresen. Ich gab Rudi die Pistole und dachte, was man doch alles in zwei Minuten erledigen kann, wenn man sich nur ein bißchen dranhält. Fünf Sekunden später ging die Tür auf, und der Polizist stiefelte herein.

Roland Bauer, Polizist   Ich bin gerne Polizist. Ehrlich, ich liebe meinen Job. Und ich bin ein guter Polizist. Es gibt eine Menge Kollegen, die sagen, ich hätte die richtige Spürnase, die man für diesen Job braucht. Und das ist gar nicht mal untertrieben, das mit der Spürnase, meine ich.

Wenn ich unterwegs bin, mache ich immer morgens um Punkt zehn bei Klaus' Tankstelle Station, schaue nach, ob alles seinen geregelten Gang geht, und genehmige mir, äh, ein Fläschchen Jägermeister, also, für den Magen, zur Beruhigung..., ich hoffe, das bleibt unter uns.

Klaus hatte echt Pech in letzter Zeit. Er war in den vergangenen sieben Monaten *viermal* überfallen worden. Ich glaube, er war ganz froh, daß ich regelmäßig vorbeischaute. Wahrscheinlich gab ich ihm ein Gefühl der Sicherheit.

Ich bockte meine Maschine auf, setzte meine Sonnenbrille auf und ging auf den Laden zu.

Martin   Schick sah er aus in seiner Uniform und mit den Lederstiefeln und der Sonnenbrille. Plötzlich verstand ich wieder, was den Job so attraktiv machte. Der Polizist schlenderte nach vorne, griff sich aus einem

Kistchen neben der Kasse ein Fläschchen Jägermeister, öffnete es und ließ das Zeug in seinen Mund laufen, und das alles, ohne mich dabei auch nur eine Sekunde aus den Augen zu lassen.

»Alkohol im Dienst, Herr Wachtmeister«, sagte ich, »ist das denn erlaubt?«

Er ignorierte meine Frage. »Wo ist Klaus?«

»Klaus? Welcher Klaus? Der blaue Klaus?«

»Klaus! Ich komme jeden Morgen um zehn hier rein, und bis jetzt stand immer Klaus an der Stelle, an der du jetzt stehst.«

»Ach so, Klaus. Klaus ist krank.«

Der Polizist ließ ein langgezogenes ›Hm‹ hören, nickte dabei langsam und stellte das Fläschchen auf den Tresen. Er drehte sich langsam um und ging ein paar Schritte in Richtung Ausgang.

Na, das hat ja gefluppt, dachte ich überrascht.

Kurz vor der Tür blieb der Polizist stehen, drehte sich aber nicht zu mir um.

Roland Bauer   Ich bin echt nicht doof. Ich wäre fast bei der Kripo gelandet. Für den Aufnahmetest hatten mir bloß zwei dusselige Pünktchen gefehlt. Eigentlich bin ich also eher Kriminalbeamter als Streifenpolizist. Also – tief in mir drin, da steckt einfach mehr. Und ich glaube, mein Chef sieht das auch so. Jedenfalls habe ich, als ich an diesem Morgen in die Tankstelle kam, gleich gemerkt, daß da irgendwas nicht stimmte. Diesen Typen, der da hinter der Kasse stand, hatte ich noch nie gesehen.

Martin   Mit dem Rücken zu mir fragte Wachtmeister Scharfsinn: »Angenommen, du hast recht, und Klaus ist krank.« Er machte eine dramatische Pause und fragte dann schnell: »Was hat er denn?«

»Keine Ahnung. Ich bin nicht seine Mutter. Ich bin bloß

gestern abend angerufen worden und habe gehört, daß er krank ist und daß ich ihn für die nächsten paar Tage vertreten soll.«

»Angerufen? Von wem?«

»Von wem, von wem. Von Herrn Dea. Von wem wohl.«

Schweigen. Der Polizist stand bewegungslos da. Man konnte fast hören, wie es in seinem Gehirn ratterte. Er stand zehn Zentimeter vor dem größten Coup seines Lebens, er brauchte bloß die Hand auszustrecken und zuzugreifen. »Okay. Angenommen, du hast recht.« Er sagte das sehr gedehnt und blickte aus dem Fenster. Ich folgte seinem Blick und sah den Mercedes an der Zapfsäule. Ich hätte mich nicht gewundert, wenn in diesem Moment die Hupe losgegangen wäre. Der Polizist drehte sich zu mir um. »Angenommen, du hast recht. Was ist das dann für ein Auto da draußen?«

»Ein 230 SL. Hübsche Karre, was?«

»Wem seiner?«

Schlaues Bürschchen. Jetzt ratterte es in *meinem* Kopf, ich blickte unauffällig nach unten zu Rudi, der neben Klaus, der großen Klappe, saß. Klaus grinste feist zu mir herauf, was mit dem Schwamm im Maul allerdings nur um so bescheuerter aussah. Mir fiel nichts Besseres ein, als zu sagen: »Eins zu null für Sie, Herr Wachtmeister.«

Der Polizist griff mit einer Hand an seine Pistolentasche. »Hier ist was faul. Hier ist doch was oberfaul.« Er öffnete den Druckknopf am Halfter. »Das riech ich doch. Das riech ich doch ganz deutlich.«

Ich entschloß mich dazu, die Flucht nach vorne anzutreten: »Also gut, Chef. Sie sind zu schlau für uns. Mein Freund und ich, wir haben den Wagen gestern abend geklaut. Heute morgen mußten wir tanken und sind hierher gefahren. Leider hatten wir kein Geld dabei, also mußten wir die Tankstelle überfallen.« Ich spürte einen Schlag gegen mein Bein und blickte kurz nach unten. Rudi blickte mich mit großen fragenden Augen an, und sein Mund formte lautlos das Wort ›wir‹. Mist. »Also was heißt *wir*. Ich meine, *ich* wollte die Tankstelle überfallen. Aber dann kamen *Sie* auf Ihrem Motorrad angerauscht, und da haben wir ...« Schlag gegen das Bein. »... habe *ich* Ihren Klaus gefesselt, und jetzt liegt er hier neben dem Tresen zu meinen Füßen, und mein Freund hält ihm ...«, ich blickte kurz zu Rudi. Er schüttelte den Kopf, »... also Klaus hält sich, äh ..., Klaus hat eine Pistole am Kopf.

Das ist der Status quo.«

Der Polizist zog die Augenbrauen zusammen und blickte mich skeptisch an. Ich hielt seinem Blick stand und versuchte zu grinsen. Der Polizist kratzte sich mit der linken Hand kurz hinterm Ohr, dann löste sich langsam die Spannung in seinem Gesicht. Schließlich begann er zu lachen. »Gut ... echt gut!« Kopfschüttelnd und lachend ging er auf den Ausgang zu.

Roland Bauer   Ich wußte, daß da irgendwas nicht stimmte. Diese ganze Geschichte, die mir der Kerl da auftischte, stank drei Meilen gegen den Wind. Aber, Mann, ich hätte mich ja wohl zum kompletten Affen gemacht, wenn ich hinter den Tresen geguckt hätte.

Rudi   Dann kam der Moment, in dem ich Martin für ein echtes, ausgewachsenes, völlig verblödetes Riesenarschloch hielt. Ich hatte fast kotzen müssen vor Angst, als ich ihm, mit dem Tankwart im Arm, zu Füßen lag. Und dann plapperte er dauernd was von ›wir‹ und ›ich und mein Freund‹. Ich konnte kaum glauben, daß der Polizist die Geschichte schluckte. Ich hörte, wie sich die Schritte des Polizisten entfernten, und starrte den Tankwart an, dem sein Grinsen eingefroren war. Dann sah ich, wie Martin das Fläschchen Jägermeister hochhob und dem Polizisten damit zuwinkte.

»Herr Wachtmeister, ich bekomme noch zwei Mark fünfzig.«

»Geht wie immer aufs Haus«, rief der Polizist.

»Nix da. Die kostet zwei fünfzig.«

Es entstand eine wunderbare Stille. Ich sah vor meinem geistigen Auge, wie sich der Polizist umdrehte und seine Waffe zog. Martin legte nach. »Das können Sie vielleicht mit Ihrem Freund Klaus machen. Bei mir läuft so was nicht. Bei mir kostet die Flasche zwei fünfzig.«

Aus. Vorbei. Verloren. Ich hörte, wie der Polizist auf den Tresen zukam. Ich blickte zur anderen Seite des Tresens, weil ich erwartete, daß der Polizist jeden Moment dort auftauchen würde, um Martin hochzunehmen. Ich sah ihn vor meinem geistigen Auge um den Tresen kommen und auf den Boden starren. Ich hörte, wie er sagte: *Ei, wer sitzt denn da auf dem Boden? Klaus, mein Freund, und wer ist der Mann, der dir die Pistole an die Birne hält? So was ist doch verboten, weiß der das denn nicht? Da nehmen wir ihn mal fest und stecken ihn gemeinsam mit seinem Kumpanen für die nächsten zwanzig Jahre in den Bau.*

Ich wollte gerade aufstehen und dem Polizisten die Arbeit abnehmen, ich dachte, vielleicht bringt es mir ja ein paar Pluspunkte, wenn ich mich selbst stelle.

Dann hörte ich, wie ein Geldstück auf den Tresen klimperte und eine säuerliche Stimme: »Hier, der Rest ist für dich.« Die Schritte entfernten sich wieder, und ein paar Sekunden später begann das Motorrad zu knattern. Das Geräusch entfernte sich.

Ich ließ mich gegen den Tresen sinken und blickte zu Martin hinauf. Der öffnete die Kasse und nahm Geld heraus. Dann sah er zu uns herab. Während er weiter das Geld aus der Kasse kramte, blaffte er mich an. »Und wenn du noch einmal gegen mein Bein haust...«

Ich blaffte zurück. »*Was* dann?!«

Martin haute mit einem Ruck die Kasse zu.

5.

Ich bin Martin Brest.
Ich überfalle gerade eure blöde Bank

Henk   Abdul hat nicht nur null Humor, er ist auch blind wie ein Maulwurf. Nachdem wir unsere Mägen wieder einigermaßen zurechtgerückt hatten, machten wir uns auf die Suche nach dem Mercedes. Ich hatte ja mit einigem gerechnet, aber nicht damit, daß wir schon nach zwei Stunden an dem Auto vorbeifahren würden. Abdul wäre natürlich glatt vorbeigefahren. Ich hätte mir fast in die Hose gemacht, als wir diese Straße entlangfuhren und ich die Karre auf dem Gelände eines Autoverkäufers stehen sah. »Halt an!« schrie ich Abdul an.

Natürlich blickte er mich nur überrascht an und fuhr weiter.

»Halt an, du Idiot!«

»Was is'?«

»Unser Wagen, wir sind an unserem Wagen vorbeigebrettert!«

»Unser Wagen? Wir sitzen in unser Wagen.«

»Nicht *unser* Wagen. *Unser* Wagen! Der Mercedes, du Volltrottel! Mann, Scheiße, halt endlich die Kiste an!«

Abdul stieg in die Eisen. Kaum zu glauben: Es hatte ausnahmsweise mal keine halbe Woche gedauert, bis bei ihm der Groschen fiel. Er drehte sich um. »Wo ist Mercedes?«

»Wo ist Mercedes, wo ist Mercedes?« papageite ich wütend. »Wir stehen drauf!« Er konnte einen kirre machen mit seiner Dämlichkeit. »Da hinten! Bei dem Autoverkäufer. Los, dreh um!«

Abdul wendete und fuhr zurück. Wir holperten unter einem quer über die Einfahrt gehängten Transparent mit der Aufschrift *Dante Cars* auf das Gelände, und ich bildete mir ein, eine Fata Morgana vor mir zu erblicken. Da stand er. Eindeutig unser Mercedes, überhaupt kein Zweifel! Was für ein Tag! Die Sonne schien, die Vöglein zwitscherten.

»Wie kommt Auto so schnell hierhin?« fragte Abdul.

»Na, wie wohl? Die Verbrecher werden ihn verkauft haben.«

Aus einem Haus kam ein schicker Typ auf uns zu und fragte, was er für uns tun könne.

Abdul zeigte auf den Mercedes: »Was kosten Auto?«

Der Autoverkäufer meinte wohl, daß man das Verkaufsgespräch nicht so einfach überspringen könne, strich seinen Schlips glatt und fing an zu labern: »Oh, ein schönes Modell. Das ist ein Mercedes mit einem Achtzylinder...«

Ich fiel ihm ins Wort: »Mein Kollege hat gefragt, was die Kiste kostet.«

Er drehte sich zu mir: »Also, so wie er hier steht, ich sag mal, mit Sonderlackierung, Ledersitzen, Stereo-Radio-Kassetten-Radio, CD-Player...«

Abdul wurde nervös. »Wieviel!« Ich sah ihn schon wieder mit seiner Pistole an den Köpfen fremder Leute hantieren.

»Für Sie?« fragte der Verkäufer.

»Nein, für mein tote Oppa... Klar für mich.« Ich mußte fast lachen. Soviel Humor hatte ich Abdul gar nicht zugetraut.

Der Verkäufer war wirklich verdammt hartnäckig. »Also schön, weil Sie Ausländer sind und weil es Ausländer so schwer haben in Deutschland...«, er stand da, als warte er auf einen Tusch, dann sagte er: »Fünfundsiebzigtausend.«

Ich fragte ihn, ob er uns verarschen wolle? Fünfund-siebzigtausend für einen gebrauchten Wagen?

Der Verkäufer kam einen Schritt auf mich zu. »Das weiß ich selbst. Aber er ist selten, und seltene Dinge haben ihren Preis. Angebot und Nachfrage, meine Herren, das Prinzip unserer Marktwirtschaft, Dinge, von denen es jede Menge gibt...«

»Schon gut, schon gut«, unterbrach ich ihn. Er hätte uns hier wahrscheinlich bis Weihnachten seinen Sülz erzählen können. Ich blickte Abdul an, packte ihn am Arm und zog ihn außer Hörweite des Autoverkäufers.

»Wieviel Geld hast du?«

»Egal. Zu wenig.«

»Ja, ich auch.«

Abdul, geistreich wie immer, kam auf eine tolle Idee: »Laß uns ihn legen.«

»*Um*legen.«

»Genau. Umlegen und Auto nehmen.«

»Genau, Abdul. Umlegen. Erst legen wir ihn um, dann jagen wir das Haus in die Luft, und dann schmeißen wir eine Atombombe auf die Stadt, und dann ab durch die Mitte.«

Abdul glotzte mich skeptisch an. Ich drehte mich zu dem Verkäufer um. Die Knallcharge hatte ein Taschentuch in der Hand und wischte einen nicht existierenden Fleck am Kotflügel weg. Ich rief ihm zu: »Können Sie uns den Wagen bis heute abend reservieren?«

»Ja, sicher.« Es klang wie: Ich könnte euch dahinten noch was Preiswerteres zeigen, ein Dreirad oder so.

Ich klopfte Abdul auf die Schulter: »Komm, wir suchen uns jetzt eine schnuckelige Bank und besorgen uns Kohle.«

Abdul   Manchmal Henk hat komische Idee. Als wir Auto finden, sage ich, wir legen Verkäufer und klauen

Auto, weil wir nicht genug Geld haben. Und Henk sagt, wir jagen auch Haus in Luft und schmeißen Atombombe. Henk ist komisch manchmal.

Johannes Dante   Das waren zwei komische Vögel. Beide ganz in Schwarz, so wie Killer in einem amerikanischen Film, und waren scharf auf einen alten 230 SL, der schon seit ich weiß nicht wann auf meinem Gelände steht.

Ich denk mir, wenn die so heiß auf die Karre sind, pokerst du mal ein bißchen höher. War aber wohl ein bißchen zu hoch, jedenfalls meinten die beiden, daß sie erst mal Geld holen müßten. Eines weiß ich nach zwanzig Jahren als Autoverkäufer: Wenn der Kunde Geld holen will, siehst du ihn nie wieder.

Martin   Immerhin hatten wir etwas Geld, als wir aus der Tankstelle kamen. Wir fuhren in die nächste Stadt und suchten eine Boutique, um uns endlich aus unseren Schlafanzügen zu befreien. Ich fand ziemlich schnell einen passenden Anzug, Rudi tat sich da etwas schwerer. Jetzt kam er zum ich weiß nicht wievielten Male aus der Kabine gedackelt, diesmal in einem schicken schwarzen Anzug. Er stand vor dem Spiegel und drehte sich hin und her und zupfte an dem Jackett herum.

»Du siehst echt stark aus in dem Aufzug«, sagte ich. »Aber ich finde, du solltest trotzdem den roten Anzug noch mal anziehen.« Ich machte mir einen albernen Spaß daraus, seine Unentschlossenheit noch anzuheizen.

Rudi betrachtete sich mit skeptischem Blick im Spiegel: »Ja, ich glaube, ich ziehe den Roten noch mal an, aber andererseits ist Rot so auffällig. Ich bin doch kein Feuerwehrmann. Ich glaube, ich nehme den hier... Obwohl der rote nicht schlecht war... Ich glaube, ich ziehe ihn noch mal an.« Dann trat er an mich heran und flüsterte: »Übrigens, wenn du den Laden hier auch überfällst, dann bin ich weg, klar?«

»Na klar. Ist klar.« Warum sollte ich den Laden überfallen? Rudi tat ja fast so, als sei ich ein völlig durchgeknallter Gangster.

Rudi verschwand wieder in der Kabine. Ich spazierte zu der Verkäuferin, die sich hinter den Kassentresen verzogen hatte. Hübsches Mädel. Ich zwinkerte ihr zu und fragte: »Darf man hier rauchen?« Sie nickte, und auf ihrem Gesicht machte sich ein Hauch von Rot breit.

Ich kramte eine Schachtel Zigarillos aus dem Jackett, nahm einen heraus und zündete ihn an. Zwischen zwei Zügen fragte ich: »Was kostet der ganze Spaß eigentlich?«

»Zusammen? Also Ihre Kombination..., äh, das wären zweitausenddreihundert...« Ich mußte unwillkürlich husten, konnte aber meine Gesichtszüge halbwegs unter Kontrolle halten. Zweitausenddreihundert für ein paar Klamotten! Ich wühlte in der Hosentasche nach den Scheinen aus der Tankstelle und überschlug grob die Summe, die ich zutage förderte. Wenn Rudis Kluft in einer ähnlichen Preiskategorie lag, kamen wir auf gar keinen Fall hin. Ich hatte noch Rudis Satz im Ohr: *Wehe, du überfällst den Laden...* Ich legte das Geld auf den Tresen. »Hier, das sind erst mal dreitausend, ungefähr. Ich glaube, ich muß noch ein bißchen was holen. Ich sag nur kurz meinem Freund Bescheid und flitz zu einem Geldautomaten.«

»Zwei Straßen weiter ist eine Bank.«

Ich nickte, ging zur Umkleidekabine und rief nach Rudi. Er zog den Vorhang ein Stückchen zurück und steckte den Kopf heraus. »Mensch Martin. Das sind die tollsten Klamotten, die ich jemals angehabt habe. Ich kann mich echt nicht entscheiden.« Er dämpfte seine Stimme. »Die paar Mark aus der Tankstelle, ist doch 'ne Erdölfirma, das kümmert die doch gar nicht, das zahlen die doch aus der Portokasse.«

»Ja, ja, hör zu, ich glaube, die Kohle reicht nicht für unser neues Outfit. Ich geh mal schnell los und hol noch was.«

Ich hatte erwartet, daß Rudi mich fragen würde, woher ich denn auf einmal Geld besorgen wolle. Aber er war offensichtlich zu verliebt in seine Klamotten, sagte: »Okay, dann zieh ich in der Zwischenzeit noch mal den schwarzen an« und verschwand in der Kabine.

Ich ging an der Verkäuferin vorbei und nahm eine Plastiktüte vom Stapel.

Rudi   Komisch, wie schnell man seine Skrupel ablegt. Es war erst ein paar Stunden her, daß ich die Nachricht erhalten hatte, todkrank zu sein. Eine Nachricht, die doch immerhin einen gewissen Einfluß auf mein weiteres Leben haben würde. Und nun stand ich in der Umkleidekabine einer Edelboutique und hatte bei einem Tankstellenüberfall mitgemacht und dem Tankwart eine Pistole vor den Kopf gehalten. Es war, als hätte ich neben mir gestanden. Ich blickte in den Spiegel der Kabine und grinste mich an. Was kann dir groß passieren, Rudi Wurlitzer? Der Arzt hat dir auf den Kopf zugesagt, daß deine Heilungschancen gegen Null tendieren. Ich kann nicht mal sagen, ob ich zu diesem Zeitpunkt Martin noch große Vorwürfe gemacht hatte. Vielleicht war es das: Manche Leute machen eine Weltreise, wenn sie erfahren, daß sie nicht mehr lange zu leben haben. Und ich fange eben an, Tankstellen zu überfallen und fremden Leuten Pistolen an den Kopf zu halten. Andererseits fand ich, daß es damit nun auch genug sein mußte. Während ich mich umzog, flüsterte ich Martin zu, daß er *diesen* Laden bloß nicht auch noch überfallen sollte. Wer weiß, auf was für Ideen er kommt? Irgendwann rief er nach mir. Ich steckte den Kopf aus der Kabine. Er sagte, wir kämen mit dem Geld nicht hin, und er wolle noch was holen. Ich sagte: »In Ordnung« und verschwand wieder in der Kabine.

Erst eine halbe Ewigkeit später fragte ich mich, was das heißen sollte: »Ich gehe noch was Geld holen.«

Martin   Komisch, wie schnell man seine Skrupel ablegt. Ich meine, ich bin bestimmt kein Waisenknabe, aber als wir aus der Tankstelle raus waren, kam ich doch ein wenig ins Grübeln darüber, was alles passiert war. Innerhalb von nicht ganz vierundzwanzig Stunden hatte ich ein Auto geknackt, eine Tankstelle überfallen und einen Menschen gefesselt und geknebelt. Und nun stand ich auf der Straße vor der Boutique und sah mich nach einer Bank um.

Wie überfällt man eine Bank? Aus Filmen kannte ich bloß drei Varianten: die brutale, die raffinierte und die bescheuerte. In der brutalen Variante stürmt eine Hundertschaft schwerbewaffneter, maskierter Männer durch die Schwingtür, ballert wild herum, brüllt Kommandos, bringt Kunden und Personal dazu, sich auf den Boden zu schmeißen, hüpft locker über die Banktresen und wirft sich gegenseitig Geldsäcke zu. Nach zwei Minuten ist der Spuk vorbei, und der schwitzende Filialleiter sagt einem seiner Untergebenen, er könne jetzt die Polizei rufen. In der raffinierten Variante sitzen fünf oder sechs Männer nächtelang in einem verqualmten Zimmer und basteln an High-Tech-Plänen, um unter der Bank ein Tunnelsystem zu graben, und wenn eines Morgens der Kassierer den Tresor aufschließt, ist die Kohle weg. In der dritten Variante ist es meist dieser Volltrottel, der Geld braucht, um die Augenoperation für sein bezauberndes Töchterchen zu bezahlen, und der schon in der Schwingtüre steckenbleibt, dann aus Versehen ein Loch in die Decke schießt, woraufhin ihm der Putz auf die Rübe rieselt. Er will über den Banktresen springen und fällt natürlich auf die

Schnauze. Seine Strumpfmaske reißt, dem Kassierer hält er einen Einkaufszettel vor die Nase und so weiter und so weiter. Für die brutale Variante fehlten mir Ausrüstung und Personal, für die raffinierte Methode Zeit und Gerätschaft, um einen Tunnel bis zu einer Bank bohren zu können. Für die bescheuerte Variante war ich nicht bescheuert genug. Hoffte ich jedenfalls.

Ich stand also vor der Boutique, hatte in der einen Hand die Plastiktüte und in der anderen den Zigarillo und wog meine Chancen ab. Ich beschloß, es drauf ankommen zu lassen, schnappte den Zigarillo auf den Bürgersteig und machte mich auf den Weg.

Zwei Straßen weiter fand ich das Objekt meiner Begierde. Gerade als ich durch die Tür in die Schalterhalle treten wollte, kam mir eine Angestellte mit einem Schlüssel in der Hand und einer Kundin im Schlepptau entgegen und sagte: »Tut mir leid, wir haben schon seit zehn Minuten Mittagspause.«

Ohne groß nachzudenken, zog ich meine Pistole und sagte. »Tut mir auch leid. Aber die Mittagspause fällt heute aus.« Im Prinzip war es genau wie in der Tankstelle. Ich hatte keine Zeit, groß nachzudenken über das, was ich tat. Wenn ich die Zeit gehabt hätte, hätte ich mir wahrscheinlich in die Hosen gemacht. Eigentlich konnte ich gar nichts dafür, ständig meine Pistole zu ziehen. Vor Gericht könnte mein Anwalt vielleicht sagen, die Umstände hätten mich zu meinen Schandtaten gezwungen.

Die beiden Damen blieben erstaunlich gefaßt und hoben wortlos ihre Hände. Sie gingen rückwärts in die Schalterhalle zurück, ich hinter ihnen her. Ich blickte mich um und versuchte abzuschätzen, mit wie vielen Leuten ich es zu tun hatte. Hinter dem Tresen hoben zwei Männer und eine Frau die Hände, ein weiterer Typ stand hinter der Kasse. Auf einem Stuhl saß noch einer, der ein angebissenes Butterbrot in die Höhe hob. Alle starrten mich an, und ich spürte einen ziemlichen Erwartungsdruck auf mir lasten. Niemand sagte etwas.

Ich hatte den Eindruck, fünf Stunden so herumgestanden zu sein, als einer der Angestellten meinte: »Also, Sie müssen schon was sagen. Sonst passiert hier gar nichts.«

Ich zögerte noch einen Moment, dann entschied ich mich für die Spiel-den-Coolen-und-schnauz-sie-an-Variante: »Ich muß überhaupt nichts sagen, okay? Wir machen jetzt eine Quiz-Show! Ihr habt drei Sekunden Zeit. Entweder einer sagt mir, was ich will, oder...«, ich zögerte, hob die Pistole ein Stück höher, »also, das hier ist keine Wasserpistole.« Ich blickte kurz an die Decke. Kein Putz, sondern solche komischen weißen, viereckigen Platten.

Nach zweidreiviertel Sekunden platzte ein junger Banker heraus: »Sie wollen das ganze Geld!«

Ich blies ihm einen Tusch. »Gewonnen! Ein Hunni ist für dich, den Rest packst du in die Tüte hier.«

Der Typ kam hinter dem Tresen hervor, trat auf mich zu, als stünde ich unter Strom, und verschwand mit meiner Plastiktüte zum Kassenschalter.

Warten. Stille. Bloß aus der Kassenbox drang leises Rascheln herüber.

Ich hoffte, daß nicht einer auf die Idee kam, den Helden zu spielen, aber offensichtlich herrschte bei den anderen eine ähnliche Leere im Kopf wie bei mir. Ich blickte in die Runde. Als ich bei der Angestellten und der Kundin angekommen war, die neben mir standen, blickte die Angestellte demonstrativ in eine Ecke an der Decke. Ich hob die Augen und schaute in eine Kamera. Mein erster Gedanke war: Ach du Scheiße. Mein zweiter: Was soll's.

Ich sagte: »O hallo. Ich bin Martin Brest. Ich überfalle gerade eure blöde Bank. Ich hab mir nämlich vor zehn Minuten diesen geilen Anzug ausgesucht und kann ihn nicht bezahlen, also hab ich mir gesagt, Martin, geh doch einfach zur Bank und hol ein bißchen Bargeld. Aber auf dem Weg dahin ist mir eingefallen, daß ich meine Kontonummer vergessen...«

»Herr Brest?«

Ich wandte mich der Bankangestellten zu.

»Was!?«

»Entschuldigen Sie, aber ich glaube, Sie können sich Ihre Erklärungen sparen. Die nehmen hier nur das Bild auf.«

»...?«

In diesem Moment kam der junge Banker mit der Tüte zurück und stellte sie vor mir ab. »Achtzigtausend.«

Ich hielt ihm die Pistole vors Gesicht. »Ist das wahr? Ihr nehmt hier nur das Bild auf? Keinen Ton?«

Er hob die Hände und sagte: »Keine Ahnung, das ist mein erster Überfall.«

Ich nahm einen Geldschein aus der Tüte und gab ihn dem Banker. »Hier, für die richtige Antwort.« Und dann lauter und an alle: »Und wenn Sie so freundlich wären, mir noch ein paar Minuten Vorsprung zu geben.«

Dann machte ich mich auf die Socken.

Rudi   Ich zog gerade zum siebenundzwanzigsten Mal das rote Jackett über, als ich vor der Kabine die Stimme der Verkäuferin hörte. Sie klang etwas schüchtern. »Entschuldigen Sie...«

Ich steckte den Kopf heraus.

»Ich weiß, das ist jetzt vielleicht eine dumme Frage...«, sie zögerte.

»Es gibt keine dummen Fragen. Bloß dumme Antworten.« Du lieber Himmel, Rudi, jetzt kramst du auch noch die Sprüche deiner alten Lehrer aus der Truhe.

Sie lächelte gequält. »...aber, äh, wissen Sie, na ja, es kommt nicht oft vor, daß meine Kunden in Schlafanzügen hier reinkommen...«

»Ja, und auch noch in so komischen Schlappen.« Ich kicherte albern. Was sollte ich ihr sagen? Ich entschied mich für die Wahrheit: Ich erzählte ihr, daß wir nicht mehr lange zu leben hätten und daß wir gestern nacht aus unserem Krankenhaus abgehauen seien, um ans Meer zu fahren. »Ich war nämlich noch nie am Meer.« Während ich redete, fiel mir auf, daß die Wahrheit ganz schön komisch klingen mußte.

Sie glotzte mich an und nickte dann langsam mit dem Kopf. Vermutlich erwartete sie, daß ich mich jeden Moment in einen Werwolf verwandeln würde.

»Waren Sie schon mal am Meer?«

»Ja, schon öfter«, sagte sie verwirrt.

»Und wie ist es da?«

»Äh, schön.« Sie hielt mich wahrscheinlich für völlig durchgedreht. *Lieber nicht reizen, sonst wirft er sich noch auf mich.* Ich zog den Vorhang wieder zu und betrachtete mich.

Dieter Müller, Bankangestellter   Mann, zwei Monate bei der Bank und gleich ein Überfall im Doppelpack. Der erste Typ war echt cool, vor allem, als er seine Rede in die Kamera gehalten hatte. Das Geld, das Herr Brest mir gegeben hat, hat mir mein dämlicher Chef natürlich sofort wieder weggenommen. Dabei war es noch nicht mal ein Hunderter, sondern bloß ein Fünfziger. Eigentum der Bank, sagte er. Statt dessen wurde ich zum Mitarbeiter des Monats gewählt, weil ich auf die beiden Typen, die kurz nach Herrn Brest in die Bank kamen, so cool reagiert habe. Beide ganz in Schwarz, einer war ein Araber oder so. Die kamen rein und brüllten: Geld her. Na ja, und ich hab bloß dagestanden, während Herr Falter schon am Hörer hing, um die Polizei zu rufen, und hab gesagt: »Tja, da kommen Sie ein paar Minuten zu spät.« Die haben ziemlich blöd geguckt, der Araber ballerte in die Decke und zog dem alten Börnsen mit der Pistole eins über die Rübe. Fand ich echt unnötig, obwohl ich die Wut der beiden irgendwie auch verstehen konnte.

Für die Wahl zum Mitarbeiter des Monats habe ich einen Strauß Blumen bekommen. Na, da hab ich mich aber gefreut, das kann ich Ihnen sagen. Ein Blumenstrauß. Toll! Wer bekäme nicht gern einen Strauß Blumen? Die Blumen hab ich meiner Freundin geschenkt.

Henk   Ehrlich, ich dachte, jetzt ist es vorbei, jetzt beißt uns Frankie die Eier ab, wenn wir ihm auch noch erzählen, daß wir eine Bank überfallen haben, die ein paar Minuten zuvor schon überfallen worden war. Ich hatte schon so ein komisches Gefühl, als ich mit Abdul durch die Tür stürmte. Ein Banker hing am Telefon, einer hielt seine Hände in die Luft, die anderen standen wie die Ölgötzen rum, eine Oma saß mitten auf dem Boden der Schalterhalle.

Ich rief: »Hände hoch! Das ist ein Überfall!«

Abdul rief: »Alle Geld raus! Schnell!«

Und ein junger Bankangestellter, der neben der Oma stand, sagte: »Tja, da kommen Sie ungefähr eine Minute zu spät.«

Ich ballerte zweimal in die Luft, alles zuckte zusammen, und Abdul stürmte hinter den Tresen zur Kasse. Da stand er eine Weile dumm rum, bis ich die Geduld verlor. »Abdul, wenn du dir irgendwelche Sorgen machst, nimm nur die Tausender. Die beißen nicht.«

Er starrte mich bloß an und sagte tonlos: »Kein Geld, bloß Münzen.«

Der junge Typ sagte: »Ich sag Ihnen doch, da war kurz vor Ihnen schon mal einer da.«

Auf dem Rückweg mußte Abdul unbedingt noch seinen Gefühlen Ausdruck verleihen, indem er mit seiner Pistole einem Banker..., aber das ahnen Sie wahrscheinlich schon.

Abdul   Konnt ich nix für. Ich stand vor Kasse von Bank und sah, daß nix drin war. Henk macht irgend Witz, den ich nicht verstehe. Aber langsam ich denke, ich sollte zurück in Heimat. Hier klappt nix, alles läuft verkehrt. Freche Kinder, kein Geld in Bank. Alte Bankmann hat blöd gegrinst. Hab ich ihn mit Pistole auf Kopf gehauen. Ich hab nix gegen alte Männer. Aber wenn blöd grinsen, ich werde sauer. Kann ich nix für. Frankie ja auch wird oft sauer.

Rudi   Ich hatte mich gerade endgültig entschieden und wollte die Hose herunterlassen, um wieder den schwarzen Anzug anzuziehen, als der Vorhang aufgerissen wurde. Ich drehte mich um. »Hallo Martin. Da bist du ja wieder. Ich glaube, ich nehme den schwarzen Anzug.«
     »Komm, keine Zeit!« Er zerrte mich aus der Kabine.
     »Was ist denn los?«
     »Erklär ich dir später. Komm jetzt.« Er zerrte mich an der Verkäuferin vorbei, die mit offenem Mund und einer Handvoll Geldscheinen dastand. »Der Rest ist für Sie.«
     Wenn ich eines immer schon gehaßt habe, dann war es, von allem immer nur die Hälfte zu erfahren. Ich riß mich los und schrie Martin an: »Was soll diese Hektik auf einmal? Darf ich mir wenigstens den Reißverschluß zumachen!?«

Martin   Als ich aus der Bank kam, rannte ich fast zwei Kerle in Schwarz über den Haufen. Ich stürmte zur Boutique zurück und knallte der Verkäuferin ein paar Scheine auf die Theke. Dann ging ich zur Umkleidekabine, zog den Vorhang zurück und forderte Rudi auf, rasch mitzukommen. Rudi stand da und hielt seine lange Leitung in der Hand! Warum, wieso, weshalb? Anstatt, daß er mir

einfach mal vertraute. Sollte ich ihm in der Boutique erklären, daß ich gerade eine Bank überfallen hatte?

Ich zerrte ihn hinter mir her, und als wir draußen waren, ging die Meckerei weiter: »Was ist los? Ich sehe total
affig aus in dem roten Fummel. Warum konnte ich nicht
wenigstens noch den schwarzen Anzug mitnehmen?«

Ich sagte: »Quatsch nicht. Rot steht dir gut.«

Frankie   Ich bin völlig ruhig. Sie denken bestimmt, ich
sei ein Choleriker oder so, weil ich mich ab und zu ein
bißchen aufrege. Bin ich überhaupt nicht. Ich bin völlig
ruhig, ich bin die Ruhe selbst, ich bin der Erfinder der Ruhe, meine Freunde nennen mich Frank ›Die Ruhe‹ Beluga. Warum sollte ich auch nicht ruhig sein, ich weiß doch,
daß ich mich auf meine hervorragenden Mitarbeiter verlassen kann. Na gut, daß die beiden eine Bank überfallen,
die schon vor zwei Minuten überfallen worden ist ... kann
doch jedem mal passieren. ODER?! KANN DOCH JE-
DEM MAL PASSIEREN, DASS ER EINE BANK ÜBER-
FÄLLT, DIE VOR ZWEI MINUTEN SCHON MAL ÜBER-
FALLEN WORDEN IST! DAS IST DOCH KEIN GRUND,
IN DIE LUFT ZU GEHEN! UND ES IST ERST RECHT
KEIN GRUND, IN DIE LUFT ZU GEHEN, BLOSS WEIL
DIE ZWEI EINE WILDE BALLEREI MIT DER BULLEREI
DES HALBEN LANDES ANFANGEN!! Ü-BER-HAUPT
KEIN GRUND!!!

Ich werde jetzt nach oben gehen. Oben wartet Chantal
auf mich. Ich werde ein Glas Champagner trinken, und
Chantal wird mir den Nacken massieren. Dann wird sie
mir einen blasen, und dann werde ich mich in den Whirlpool legen, und da werde ich ein bißchen liegenbleiben.
So zwei, drei Jahre vielleicht.

Henk   Scheiße, Scheiße, Scheiße. Mann, wo kamen die
ganzen verfluchten Scheiß-Bullen auf einmal her? Wir

In einem Luxushotel feiern Martin und Rudi ihren neuen Reichtum ...

... und schreiben dann ihre geheimen Wünsche auf. Einen davon wollen sie sich noch erfüllen, bevor sie zum Meer fahren.

Aus den Jägern werden Gejagte: Henk und Abdul fliehen vor der Polizei.

Frankie »Boy« Beluga (Huub Stapel) kann gar nicht darüber lachen, daß Rudi und Martin mit seinem Geld abgehauen sind ...

... und läßt harte Geschütze auffahren!

*Um die Polizei in Schach zu halten, nimmt Martin Rudi als Geisel –
und der Trick funktioniert!*

sind doch höchstens zwei Minuten in dieser verfickten Bank gewesen. Aber als wir rauskamen, rasten zwei Polizeiautos auf uns zu. Wo hatten die ihr Revier? Gegenüber? Oder vielleicht im Tresor dieser Bank?

Als wir aus dem Haus kamen und die zwei Polizeiwagen auf uns zurasten, wurde mir schlagartig einiges klar, und ich mußte an den Typen denken, der uns vor der Bank mit einer Plastiktüte entgegengekommen war und uns fast umgerannt hätte.

Abdul und ich ballerten sofort los, ich meine, was sollten wir denn groß machen? Angriff ist die beste Verteidigung, heißt es doch. Die Bullen waren ziemlich verwirrt, als sich ihre Autos plötzlich in zwei Schweizer Käse verwandelten. Die Scheiße war, daß wir nicht zu unserem Auto konnten, weil es von den Polizeikarren eingekeilt war. Also liefen wir die Straße runter.

Wir rannten ein paar Leute über den Haufen, dann bogen wir in eine Gasse ein, die Bullen immer hinter uns her. Diese Wichser schossen sogar auf uns.

Wir stürmten in ein Schnellrestaurant. Der Laden war gerammelt voll, an der Theke standen ich weiß nicht wie viele Typen. Wir warfen sie um und sprangen über die Theke und in die Küche. Ich hoffte bloß, daß der Laden einen Hinterausgang hatte. Und ich hoffte, daß, wenn es einen Hinterausgang gäbe, wir ihn auch finden würden. Und ich hoffte, daß, wenn wir den Hinterausgang finden würden, dieser nicht in einem Hof mit vier Meter hohen Mauern enden würde.

Wir fanden den Hinterausgang, stürmten hinaus und standen in einem Hof, der von Mauern eingerahmt war, allerdings immerhin keinen vier Meter hohen. Abdul stieg in meine Hände, ich hob ihn hoch, dann zog er mich nach. Als wir auf der Mauer standen, kamen die Bullen aus dem Laden gestürmt. Wir schossen. Einer der Bullen griff sich ans Bein und fiel um, der andere sprang hinter ein paar Tonnen. Abdul und ich sprangen von der Mauer auf die Straße und rannten weiter. An einer roten Ampel schnappten wir uns das nächstbeste Auto.

Ich riß die Tür auf.

Der Fahrer brauchte keine langen Erklärungen.

Rudi   Dieser Idiot hat eine Bank überfallen! Ich konnte nichts anderes denken. Es war so ähnlich wie am Tag zuvor, als ich im Krankenhaus saß und bloß Krebskrebskrebs dachte. Dieser Idiot hat eine Bank überfallen. Banküberfallenbanküberfallenbanküberfallen. Aber eigentlich bin *ich* ja der Idiot. Ich mit meiner langen Leitung. *Ich gehe mal eben ein bißchen Geld holen, probier du in der Zwischenzeit ruhig noch ein paar Anzüge aus.* Mann!

Wir rannten die Straße entlang. Als wir um die erste Häuserecke bogen, sahen wir, wie ein Mannschaftswagen der Polizei die Straße herunterfuhr. Martin blieb stehen, packte mich am Arm und rannte wieder in die Richtung, aus der wir gekommen waren.

Dann verlangsamten wir den Schritt. Irgend etwas stimmte nicht. Zwei weitere Polizeiautos rasten mit Blaulicht und Sirene an uns vorbei, Rudi drehte sein Gesicht zur Wand, aber die Polizisten machten überhaupt keine Anstalten anzuhalten.

Ich blieb stehen. »Was ist in der Tüte?«

Martin drehte sich wieder um und sagte: »Komm jetzt.«

»Entweder du sagst mir, was in dieser verdammten Tüte ist, oder ich bleib hier stehen, bis Äpfel aus meinen Ohren wachsen!«

Martin kapitulierte vor meiner Dickköpfigkeit und schnaufte geräuschvoll aus. Er kam auf mich zu und hielt mir die geöffnete Tüte hin.

6.

Eine verdammte Million!

Martin   Die ganze Zeit über, während wir aus der Stadt fuhren, fragte ich mich, wieso die Polizisten überhaupt keine Notiz von uns genommen hatten. Ich fragte mich, ob sie gar nicht auf der Jagd nach einem Bankräuber waren. Vielleicht hatten sie einen anderen Notruf empfangen? Andererseits, aus welchem Grund schickten sie dann solche Massen los? Und ich wußte vor allem nicht, wo ich die beiden schwarzgekleideten Typen hinstecken sollte, die ich fast umgerannt hätte. Von irgendwoher kannte ich sie, aber mir wollte beim besten Willen nicht einfallen, von woher.

Ich paffte einen Zigarillo. Rudi saß neben mir – und paffte ebenfalls. Als ich die Packung aus der Tasche gezogen hatte, hatte er gesagt: »Gib mir auch einen.«

Ich blickte ihn fragend an.

»Na los, mach schon. Ist jetzt auch schon egal.«

»Mensch Rudi«, sagte ich mit betont väterlich-freundlicher Stimme, »ich find das echt Scheiße, daß du jetzt anfängst zu rauchen. Am Ende bekommst du noch Krebs.«

Wir prusteten los.

Rudi   Es war das zweite Mal in meinem Leben, daß ich rauchte. Das erste Mal lag schon ein paar Jahre zurück. Es war, na klar, wegen einer Frau, genauer: wegen eines Mädchens, weswegen sonst? Ich war fünfzehn oder sechzehn und heillos verschossen, aber schon damals ein militanter Nichtraucher. Jedenfalls, sie rauchte.

Wir waren seit ein paar Wochen zusammen, und ich hatte alles mögliche versucht, ihr das Rauchen abzugewöhnen, doch sie war gegen alle meine argumentativen Anläufe renitent geblieben. Also versuchte ich es mit dem berühmten Paradoxon: Sag ihr, daß du es auch mal versuchen willst – dann wird sie einlenken, weil sie verhindern will, daß du ebenfalls in Abhängigkeit gerätst. Sie lenkte natürlich nicht ein, sie zückte die Schachtel und gab sie mir. Ich hoffte, daß sie nur hoch pokerte und mir das brennende Streichholz aus der Hand schlagen würde, kurz bevor es die Zigarette entzündete. Sie tat es nicht, und ich rauchte meine erste Zigarette. Wir saugten schweigend an unseren Zigaretten, und nachdem ich fertig war, blickte sie mich an und sagte: »Na, zufrieden jetzt? Oder willste noch eine.« Ich fragte sie, warum sie mich nicht davon abgehalten hatte. Sie erwiderte, ich sei ja wohl alt genug, selbst zu entscheiden, was gut für mich ist und was nicht. Ich kam mir ziemlich bescheuert vor. Damals hatte ich mir geschworen, daß ich nie mehr rauchen werde. Aber das waren ja auch noch andere Zeiten.

Martin   Rudi gab sich wirklich Mühe, nicht zu husten. Zwischen seinen Füßen stand die Plastiktüte, auf seinem Schoß stapelte er die Scheinchen. Er nuschelte leise Zahlen vor sich hin. Nach einer Weile sagte er: »Einundachtzigtausend Mark und ein paar Zerquetschte.«

Ich lächelte ihn an.

»Einundachtzigtausend Mark, ein Banküberfall, ein Tankstellenüberfall, Autodiebstahl, und ich renn hier in diesem roten Fummel rum und sehe aus wie 'ne Leuchtboje.«

»Bei der nächsten Gelegenheit kaufen wir dir einen neuen Anzug.«

Er blickte mich an und fing an zu lachen.

Wir fuhren schweigend weiter und qualmten die letzten Zigarillos.

Ein paarmal schielte ich unauffällig zu Rudi. Er saß da und blickte aus dem Fenster auf die Felder, an denen wir entlangfuhren.

Rudi   Wir fuhren an endlosen Feldern entlang. Ich blickte aus dem Fenster. Die Gegend kam mir völlig unbekannt vor, obwohl ich annahm, daß wir keine hundert Kilometer von meinem Zuhause entfernt waren. Ein paarmal blickte ich aus den Augenwinkeln zu Martin. Er saß völlig entspannt da, den linken Ellenbogen auf der Fensterkante, das linke Bein hatte er angewinkelt. Ich fragte mich, ob wir Freunde geworden wären, wenn wir uns unter anderen Umständen kennengelernt hätten. Ich fragte mich, ob wir überhaupt schon Freunde waren? Ob Martin mich als seinen Freund bezeichnen würde? Eigentlich wußte ich überhaupt nicht, was er von mir hielt. Einen Moment dachte ich daran, ihn zu fragen. Dann ließ ich es doch bleiben und blickte wieder auf die Felder.

Es waren noch keine vierundzwanzig Stunden vergangen, seit ich das Krankenhaus betreten hatte, und bis jetzt hatte ich noch keine Gelegenheit gehabt, über meine Situation nachzudenken. Auf einmal schoß mir ein Gedanke durch den Kopf.

»Martin?«

»Hm?« Er blickte kurz zu mir.

»Weißt du, was ich gerade denke?«

»Was?«

»Weißt du, was der absolute Knaller wäre? Was wirklich der Hammer wäre? Stell dir vor, irgendwann schnappen uns die Polizisten, wir kommen ins Gefängnis oder meinetwegen wieder ins Krankenhaus, und dort stellen sie fest, daß uns gar nichts fehlt. Daß sie sich geirrt haben! Daß wir kerngesund sind! Dann sind wir aber angeschissen. Dann wandern wir für ein paar Jahre ins Gefängnis.«

Er brummte. Dann sagte er: »So was Ähnliches hab ich mal im Fernsehen gesehen, in irgendeiner Krimiserie, glaub ich. Ein Typ erfährt, daß er todkrank ist und bloß noch ein paar Tage zu leben hat. Also zieht er los und rächt sich an allen Menschen, die ihm irgendwann mal was getan haben. Keine Ahnung, an wem er sich alles gerächt hat. An einem Lehrer, der ihm Scheiß-Noten gegeben hat, weswegen er nicht den Job bekommen konnte, den er eigentlich gewollt hatte, und an einem Freund, der ihm die Freundin ausgespannt hat. An einem Kollegen, der ihn in die Pfanne gehauen hat. Alles so was eben. Am Ende schnappen die Bullen ihn, er sitzt auf der Wache, grinst sich einen und sagt, daß er todkrank sei und daß sie ihm ruhig den Prozeß machen könnten. Die Polizisten gucken doof in die Röhre und sind natürlich supersauer. Und dann klingelt das Telefon. Der Kommissar geht dran, hört ein paar Sekunden zu, legt wieder auf und sagt zu dem Typen: ›Tja, dumm gelaufen, Kollege, das war der Klinikchef. Sie sind total gesund. Die Deppen im Krankenhaus haben die Untersuchungsergebnisse vertauscht.‹ Peng.«

»Genau so was meine ich. Stell dir das doch mal vor.«

Martin blickte wieder kurz zu mir. Nach einer Weile sagte er: »Schön wär's.«

Eine Zeitlang fuhren wir schweigend weiter. Dann sagte Martin: »Wir könnten verreisen. Unsere letzten Tage irgendwo am Strand verbringen. Uruguay, Dominikanische Republik. Irgend so 'n Land, von dem wir nicht mal den Namen aussprechen können. In der einen Hand einen Caipirinha, in der anderen ein hübsches Mädel.«

»Hm. Ich will eigentlich nur ans Meer«, sagte ich und fragte ihn dann, was in einem Caipirinha drin ist – und auf einmal ging alles sehr schnell.

Martin verzog das Gesicht, im ersten Moment dachte ich, daß er sich wieder über mich lustig macht, weil ich noch nie Caipirinha getrunken hatte. Doch dann kippte er nach vorne.

Martin Ich hatte diese Anfälle natürlich schon öfter bekommen, aber bis dahin hatte ich nie darüber nachgedacht, daß ich sie auch kriegen könnte, wenn ich mit hundert Sachen über eine Landstraße düste. Es war, als würde jemand mit einem Lastwagen über meine Birne fahren. Meine Hände verkrampften sich, und ich hatte Mühe, das Steuer nicht unkontrolliert herumzureißen. Ich trat auf die Bremse, der Wagen fing an zu schlingern. Schließlich standen wir am Straßenrand, mit zwei Rädern im Gras. Ich fummelte hektisch in meiner Anzugtasche rum und förderte endlich ein Röhrchen mit Tabletten hervor, pulte zwei heraus und stopfte sie mir in den Mund. Ich blickte zu Rudi, der mich mit großen Augen anstarrte.

Rudi Ich kam mir völlig hilflos vor, als Martin in seiner Jackentasche wühlte. Ich bekam keinen Ton heraus, ich saß bloß da und starrte ihn an. Nachdem er sich zwei Pillen in den Mund gesteckt hatte, beruhigte er sich langsam wieder. Der Anfall machte mir schlagartig klar, in was für einer Lage wir uns eigentlich befanden. Martin brauchte ärztliche Betreuung – und nebenbei fiel mir ein, daß ich das wohl auch brauchte. Du lieber Himmel, Martin hatte einen Tumor im Kopf, und mir wurde klar, welches Risiko er damit einging, hier herumzufahren – welches Risiko *wir beide* damit eingingen.

Der Schweiß stand ihm auf der Stirn, als er sich in den Sitz zurückfallen ließ, er atmete ein paarmal tief ein und aus. Er blickte mich noch einmal an, dann schloß er die Augen. Zum ersten Mal bekam ich echte Zweifel an dem, was wir taten. Martin brauchte wenigstens vernünftige

Medikamente. Was war, wenn ihm seine Tabletten ausgingen? Ich stieg aus dem Wagen, um frische Luft zu schnappen.

Ich ging ein paar Meter auf die Wiese. Am Himmel zogen ein paar kleinere und größere Wolken entlang. Ich mußte an eine Szene aus einem Film mit den *Peanuts* denken. Darin liegen Charlie Brown, Lucie und Linus auf einem winzigen Hügel und blicken in die Wolken, und Lucie sagt, daß, wenn man lange genug in die Wolken schaue, Dinge darin erkennen könne, und sie fragt Linus, welche Dinge er erkenne. Und Linus sagt, daß ihn die eine Wolke an die Landkarte von Britisch-Honduras erinnere und eine andere an die Steinigung des Heiligen Hastdunichtgesehen und eine dritte an noch irgendwas Abgedrehtes. Dann fragte Lucie Charlie Brown, und Charlie Brown blickt zerknirscht in die Kamera und sagt, daß er eigentlich was von Schäfchen und Pferdchen erzählen wolle, aber das lasse er jetzt lieber.

Als ich in den Himmel sah, fühlte ich mich wie Charlie Brown, schlimmer noch: Ich sah nicht einmal Schäfchen und Pferdchen, ich sah bloß Wolken.

Martin   Ich mußte ein paar Minuten geschlafen haben. Als ich die Augen öffnete, sah ich, daß Rudi einige Meter entfernt auf der Wiese am Straßenrand stand und in den Himmel guckte.

Ich öffnete die Tür, stieg aus dem Wagen und ging auf ihn zu. Rudi betrachtete die Wolken, gerade so als suchte er etwas. Er blickte mich nicht an, als ich auf ihn zukam. »Glaubst du wirklich, daß wir eines Tages auf einer Wolke sitzen und uns über das Meer unterhalten werden?«

»Das glaub ich ganz fest«, antwortete ich. Ich blickte ebenfalls nach oben. Der leichte Wind tat gut. Ich fragte mich, wieviel Zeit uns blieb, um ans Meer zu kommen.

Ich war Rudi dankbar, daß er nicht anfing, mir zu raten, ich solle umkehren.

Franz Schneider, Kriminalhauptkommissar Das sind die Fälle, von denen man als Polizist träumt, vor allem, wenn man zwei Monate vor der Pension steht: keine Anhaltspunkte, kein Motiv, nichts. Ich muß zugeben, daß ich am Anfang völlig im dunkeln tappte, als ich die Nachrichten von dem Tankstellen- und dem Banküberfall erhielt. Es war nicht besonders schwierig, den Mann auf der Videoaufzeichnung der Kamera in der Bank zu identifizieren. Ich konnte nur mit dem Kopf schütteln, schließlich kommt es nicht alle Tage vor, daß jemand völlig unmaskiert in eine Bank rennt und dann auch noch eine kleine Rede in die Überwachungskamera hält. Ich saß mit Manni Keller im Büro und blätterte lustlos in ein paar Papieren.

Das Faxgerät piepte, dann würgte es ein paar Blätter heraus. Keller stand auf, riß sie ab, überflog sie und gab sie mir: »Das kommt gerade aus Wiesbaden. Dieser Martin Brest ist ein Schneewittchen.«

Ich schnupfte mit dem Zeigefinger an meiner Nase. »Koks?« Das würde wenigstens die Sache mit dem Motiv klären.

»Nein, ich meine, der Kerl hat eine absolut weiße Weste.«

Ich blickte auf das Fax. Da war nichts, rein gar nichts. Dieser Brest hatte nicht mal eine rote Ampel überfahren. »Warum rastet so einer plötzlich aus?« fragte ich.

»Hab ich Löcher in den Händen? Bin ich Jesus?« Keller gefielen solche Sprüche.

Dieser Brest hatte offenbar noch nie etwas verbrochen. Er hatte nicht mal einen Punkt in Flensburg. Und dann spaziert er auf einmal in eine Tankstelle und in eine Bank und spielt Al Capone. Und dann war da noch dieser Wagen, dieser Mercedes, der unter Denkmalschutz stand. »Ist nicht als gestohlen gemeldet worden«, sagte Keller. »Und jetzt rate mal, warum?«

Ich grunzte genervt. »Kelly. Ist das hier ein Quiz?«

»Er ist zugelassen auf Frank Beluga!«

»Beluga?« Frank Beluga, der Eierbeißer? Wie paßte der jetzt in die Geschichte? Beluga war eine der ganz großen Nummern im Drogengeschäft und hatte auch ein paar Puffs am Laufen. Er hatte die Geschäfte ganz gut unter Kontrolle, regelte sie aber geschickterweise von Holland aus – seit den Schießereien vor zwei Jahren beherrschte er mit dem Amerikaner Michael Curtiz praktisch den Markt in der Stadt und im Umkreis. Was hatte Beluga mit dem Nobody Brest zu tun? Wir dachten, alle Helfershelfer von Beluga zu kennen. War dieser Brest ein Neuer? Aber warum läßt er sich dann von der Überwachungskamera in aller Seelenruhe filmen? Und vor allem: Warum überfallen Belugas Leute zweimal eine Bank? Das paßte gar nicht zusammen.

Keller öffnete den Mund und setzte wieder zu einem seiner Sprüche an. Ich unterbrach ihn, bevor er einen Ton sagen konnte: »Ich weiß, Kelly, dir wächst kein Gras aus der Tasche, du bist nicht Jesus. Gib einfach eine Fahndung raus, einfach eine Fahndung machen, Kelly.«

Keller zog eine Flappe und machte sich auf den Weg. Eigentlich mochte ich Keller ja als Kollegen. Seine einzigen Fehler waren, daß er jung war und ehrgeizig und ein bißchen übermotiviert – jedenfalls für meine Vorstellungen. Insofern ist es wohl ganz gut, daß ich in seiner Nähe bin; mein lieber Keller braucht manchmal jemanden, der ihn vor sich selbst beschützt.

Ich stand auf und schlurfte in den Gang hinaus zum Kaffeeautomaten und dachte über unseren merkwürdigen Fall nach. Und wenn dieser Brest gar nichts mit Beluga zu tun hatte? Wenn er zufällig...? Andererseits: Zufälligkeiten waren bei Beluga eher selten. Ich balancierte den Plastikbecher ins Zimmer zurück und wartete auf Keller. Vielleicht fanden wir in der Wohnung von diesem Brest etwas Interessantes.

Martin   Dann fanden wir die Kohle. O Mann, ich dachte, mich trifft der Schlag.

Nachdem Rudi Kassensturz gemacht hatte, setzten wir uns auf die Autobahn und fuhren in Richtung holländische Grenze. Irgendwann kurvten wir auf einen Rastplatz, weil wir Hunger bekamen. Wir dachten, daß sich eine Tüte voller Geld, die offen in einem Auto herumliegt, vielleicht nicht so gut macht. Also nahmen wir sie und gingen zum Kofferraum. Ich schloß die Türe auf, und wir blickten auf diesen schwarzen Aktenkoffer. »Was'n das?« murmelte Rudi. Ich zuckte mit den Schultern. Rudi stellte die Tüte in den Kofferraum und nahm den Aktenkoffer heraus. Er stellte ihn auf der Kofferraumkante ab und ließ die Schlösser aufschnappen. Ich sah an seinem Gesichtsausdruck, daß in dem Koffer nicht bloß dreckige Unterwäsche war. Wortlos drehte Rudi den Koffer zu mir. Ich blickte auf Tausender, auf nichts anderes als Tausender, einer neben dem anderen, sorgfältig gebündelt, genau so, wie man es aus Filmen kennt. Rudi starrte mit offenem Mund in den Koffer.

Ich stieß einen Schrei aus. »Mann, Rudi! Das sind ein paar hunderttausend Mark, die da vor uns liegen! Quatsch. Das ist mindestens 'ne Million!« Ich packte ihn an den Schultern und schüttelte ihn. »Rudi! Eine Million! Wir haben eine verdammte Million gefunden!«

»Und du Idiot überfällst eine Bank.«

Dieses eine Mal war mir Rudis Miesmacherei egal. Ich haute ein paarmal auf die Kofferraumklappe. »Wir sind Millionäre! Das ist 'ne verdammte Glückskarre, die wir uns da ausgesucht haben!«

»Aber wem gehört das Geld?«

Ich verlor die Geduld. »Mann, Rudi! Ist doch wohl scheißegal, wem die Kohle gehört. Kann uns doch vollkommen wurscht sein. Jetzt liegt die Kohle hier vor unserer Nase! Und hörst du, was sie sagt? Hör genau hin. Hörst du, was sie uns zuflüstert?« Ich flüsterte: »Haaallo, ich bin eine Million, ich gehöre jetzt euch. Macht mit mir, was ihr wollt.«

Ich vergaß meinen Hunger, schnappte den Koffer und ging nach vorne.

Als wir wieder im Wagen saßen, guckte Rudi mich an und fragte: »Und jetzt?«

Ich sagte: »Das laß mal meine Sorge sein. Jetzt suchen wir uns ein nettes Zimmerchen und was Leckeres zum Essen.«

Franz Schneider   Wir stellten Brests Bude auf den Kopf. Viel Arbeit war das nicht, Brest hatte eine kleine Zweizimmerwohnung, in der nicht viel Zeug stand. Tisch, Stuhl, Bett, Schrank, ein paar Bücher, ein paar CDs. Das Interessanteste, was wir in den Schränken fanden, waren ein paar angegilbte Pornoheftchen – auch nicht gerade ein gerichtsverwertbarer Hinweis, wenn es um einen Banküberfall geht. Schließlich kam Keller mit einem Zettel und einem triumphierenden Gesichtsausdruck an. Er wedelte das Papier durch die Luft und spielte wieder den Showmaster: »Rate mal, was ich hier habe.«

Ich klärte Keller darüber auf, daß er seinen Beruf verfehlt habe, und fragte ihn, ob er sich nicht mal beim Fernsehen bewerben wolle. Ich zog ihm den Brief aus den Fingern. Es war eine Einladung zum Check-up im Krankenhaus. Für gestern.

Keller blickte mich an: »Zum Krankenhaus, Chef?«

Ich grinste ihn an: »Rate mal, Kelly.«

7.

Tu einfach so, als sei das ein
völlig normales Ding

Rudi   Wir mieteten uns in einem piekfeinen Hotel ein. Draußen lag ein roter Teppich. Ein älterer Herr im Frack und mit grauem Zylinder öffnete meine Türe und verbeugte sich. Dann die Vorhalle. So was hast du noch nicht gesehen. Ein riesiger Raum, irre hoch, mit ein paar Säulen. Kerzenleuchter, weicher Teppichboden, gedämpftes Licht, gedämpfte Stimmen.

Martin spielte wieder den Coolen. Marschierte an den Empfang und bat um das beste Zimmer im Haus. Der Empfangschef sagte, er könne uns die Präsidenten-Suite oder die Honeymoon-Suite anbieten. Martin drehte sich zu mir, klimperte mit den Augen und meinte: »Was meinst du, Schatz? Die Honeymoon-Suite? Das klingt doch romantisch.« Ich verdrehte die Augen, und wir nahmen die Präsidenten-Suite. Für lächerliche 12 000 Mark die Nacht! Das muß man sich vorstellen! 12 000 Mark für eine einzige Nacht! Der Empfangschef fragte nach unserem Gepäck. Martin sagte, wir blieben wohl nur eine Nacht. Der Typ verzog keine Miene und rief einen Boy, der uns nach oben geleiten sollte.

Ich wollte schon losgehen, da hielt Martin meinen Arm fest: »Warte mal. Weißt du, was ich schon immer mal machen wollte?« Er blickte den Mann an der Rezeption an: »Dürfte ich wohl mal auf Ihre Klingel hauen? Ich war noch nie in einem Hotel, in dem es so eine Klingel gibt.« Der Mann blickte Martin einigermaßen verständnislos an und nickte. Martin sah mich begeistert an und haute dreimal kurz hintereinander auf die goldene Klingel. Plingpling-pling. Der Empfangschef lächelte mehr oder weniger ge-quält.

Werner Obermaier, Empfangschef   Die ersten drei Devisen in der Hotellerie heißen: Freundlichkeit, Freund-lichkeit und Freundlichkeit. Der Kunde ist König – vor al-lem, wenn er ein Zimmer für 12 000 Mark die Nacht mie-tet.

Der eine von den beiden schien sich seinen größten Kin-derwunsch zu erfüllen, als er auf die Klingel am Empfang drückte. Na, warum nicht? Für 12 000 Mark hätte er mei-netwegen die ganze Nacht auf die Klingel drücken kön-nen. Für 12 000 Mark hätte ich ihm die Klingel sogar *ge-schenkt*.

Rudi   Wir fuhren im Aufzug ein paar Stockwerke höher und folgten dem Hotelboy über einen langen Gang. Schließlich blieb der Junge vor einer Türe stehen, schloß sie auf und sagte: »Die Präsidenten-Suite.« Er trat zur Sei-te, um uns durchzulassen. Martin ging vor.

Als ich den Raum betrat, mußte ich schlucken. So etwas hatte ich zuvor noch nicht gesehen. Der pure Luxus. Edel geht die Welt zugrunde. Ich konnte es gar nicht fassen, daß ich selbst in so einer Suite stand und die Nacht hier verbringen durfte. Andererseits konnte man für 12 000 Mark schon ein bißchen was erwarten. Das beste war, daß die Suite genau so aussah, wie ich mir das immer vorge-stellt hatte. Drei Zimmer, von denen jedes einzelne größer war als meine Wohnung. An der einen Wand stand ein riesiges Doppelbett, eine einzige Spielwiese für Frisch-verliebte, mit einem Haufen Kissen drauf. In der gegen-überliegenden Ecke stand ein antiker Schreibtisch, ein paar Meter weiter war die Ecke für den gemütlichen Teil des Abends: eine Couchgarnitur, bei der ich schon das

Geräusch hörte, das sie machen würde, wenn man sich in sie hineinsinken ließ. Klar, ich hatte schon mal ab und zu in Filmen ähnliche Suiten gesehen, aber ich hatte mich dabei immer gefragt, ob die Dinger auch in Wirklichkeit so aussehen oder ob sie extra für den Film gebaut werden.

Martin drehte sich zu mir um, er sah mir wohl an, daß ich kurz davor war, einen Schreikrampf zu bekommen, aber auch ihm stand das Erstaunen ins Gesicht geschrieben. Er flüsterte: »Tu einfach so, als sei das ein völlig normales Ding für uns...« Ich nickte und gab mir alle Mühe, aber ich gehe einfach mal davon aus, daß es mir nicht so recht gelang.

Im Hintergrund hüstelte der Hotelboy dezent, dann sagte er: »Wenn Sie noch irgend etwas brauchen, rufen Sie mich.«

Martin drehte sich und starrte ihn an, nickte, stotterte ein paar ›Jas‹ und ›Ähs‹, dann stupste er mich an. Ich riß mich nur ungern vom Anblick des Zimmers los. Martin machte eine Kopfbewegung in die Richtung des Hotelboys.

»Was?« fragte ich.

Er nickte wieder in die Richtung des Jungen und zischte: »Der Typ wartet auf seine Belohnung.«

Ich schlug mir im Geiste vor die Stirn, pulte einen Schein aus der Innentasche meines Jacketts und drückte ihn dem Burschen in die Finger.

Er warf keinen Blick auf den Schein, sondern sagte nur: »Danke. Ich wünsche Ihnen noch einen angenehmen Aufenthalt.« Er drehte sich um und ging.

Jörg Klein, Hotelboy   Zwei komische Typen waren das. Kamen ohne jedes Gepäck an und mieteten die Präsidenten-Suite. Feilschten nicht mal um den Preis. Der Empfangschef sagte 12 000, und die beiden zuckten nicht mal mit den Mundwinkeln. Eigentlich studiere ich, aber seit anderthalb Jahren verdiene ich mir ein paar Mark in dem Hotel dazu, und ich habe bis heute nicht verstanden, was das für Leute sind, die 12000 Mark für eine Nacht im Hotelzimmer ausgeben. 12000 Mark! So viel hatte ich in meinem ganzen Leben noch nicht verdient. Mein Auto hat 2500 gekostet. Na jedenfalls, wenn dann zwei Typen in schicken Anzügen reingeschneit kommen, denkt man sich natürlich seinen Teil.

Ich brachte sie aufs Zimmer, und als sie die Suite betraten, wirkten sie einen Moment echt sprachlos. Vergaßen wohl auch völlig, daß ich noch da war. So ganz wortlos wollte ich mich dann aber doch nicht zurückziehen. Ich meine, wenn jemand 12000 Mark für ein Hotelzimmer ausgibt, möchte ich wenigstens ein paar Mark Trinkgeld haben. Obwohl ich in den anderthalb Jahren bereits gelernt hatte, daß es meistens die Stinkreichen sind, die mit der Kohle rumknausern.

Ich räusperte mich, und die beiden erwachten aus ihrer Trance. Einer, ich glaube, es war der in dem geschmacklosen roten Anzug, drehte sich um, griff in seine Jacke und drückte mir einen Schein in die Hand. Ich bedankte mich und ging.

Auf dem Flur öffnete ich meine Hand. Da lag ein Tausender drin. Ich blieb unwillkürlich stehen und drehte mich zu dem Zimmer zurück. Eine halbe Sekunde spielte ich mit dem Gedanken zurückzugehen und zu fragen, ob das ein Versehen war, aber dann dachte ich: Wer 12000 Mark für ein Hotelzimmer ausgibt, gibt bestimmt auch tausend Mark Trinkgeld. Tausend Mark gibt man nicht aus Versehen aus, oder?

Tja, dann bin ich wieder in die Halle runtergefahren, bin zum Obermaier an den Empfang und habe gekündigt. Ich bin hin und habe ihm gesagt: »Herr Obermaier, ich habe mich gerade, als ich im Aufzug runterfuhr, dazu entschlossen zu kündigen.« Eigentlich wollte ich sagen:

»Obermaier, *du alter Saftsack*, ich habe mich entschlossen zu kündigen«, aber dann ließ ich den alten Saftsack weg. Obermaier glotzte mir mit offenem Mund hinterher.

Das war ein Gefühl.

Manfred Keller, Kriminalhauptmeister   Auf der Rückfahrt vom Krankenhaus hatte der Chef alle Mühe, sich wieder einzukriegen. Die Typen im Krankenhaus waren aber auch wirklich Idioten. Wir waren schon fast wieder draußen, als uns einer der Pfleger nachgelaufen kam, um uns zu erzählen, daß am selben Abend, als dieser Brest mit einem Patienten namens Wurlitzer abgehauen war, zwei schwarzgekleidete Herren mit einem Jungen, den sie angefahren hatten, zu Besuch waren.

Schneider schnauzte den Pfleger an und wollte wissen, warum er erst jetzt mit dieser Neuigkeit rausrückte. »Kommt es bei Ihnen alle Tage vor, daß ein schwarzgekleideter Mann mit einer Pistole vor versammelter Mannschaft einen Jungen ins Koma schlägt?«

Der Pfleger murmelte bloß was von wegen ›nicht danach gefragt‹.

Als wir wieder im Auto saßen, blickte ich den Chef an und sagte: »Wurlitzer, ulkiger Name, was? Wissen Sie, an was mich das erinnert?«

Der Chef blickte mich von der Seite an, und sein Blick sagte mir, daß es ihn im Moment eher wenig interessiere. Dann erwartete ich, daß aus seinen Augen zwei Schwerter geschossen kamen, um mich aufzuspießen. Ich entschloß mich, mich auf den Verkehr zu konzentrieren.

Franz Schneider   Also gut, was hatten wir? Dieser Brest war nach Angaben des Arztes ziemlich krank. Um nicht zu sagen todkrank. Hatte nach positiven Schätzungen und optimaler medizinischer Betreuung höchstens noch eine Woche. Ähnlich aussichtslos lag der Fall bei seinem Begleiter, einem gewissen Rudolf Wurlitzer. Jetzt sprangen die beiden durch die Gegend und hielten fremden Menschen Pistolen vors Gesicht.

Und nachdem sich ein Pfleger freundlicherweise dazu bequemt hatte, die Geschichte von den beiden anderen Besuchern zu erzählen, fand ich die Idee, daß Brest und der andere mehr oder weniger zufällig den Wagen von Beluga geklaut hatten, gar nicht mehr so blöd. Wir wußten ziemlich gut Bescheid über Belugas Umfeld, und der Beschreibung nach zu urteilen sprach vieles dafür, daß es sich bei einem der beiden um Abdul Jamalabar handelte. Nicht besonders helle zwar, aber dafür mit anderen Eigenschaften ausgestattet – wir nahmen an, daß mindestens ein halbes Dutzend Morde auf sein Konto gingen. Je nachdem, wie heiß Beluga auf seine Karre war, könnten Brest und Wurlitzer bald einige Probleme bekommen.

Martin Ich brauchte eine Weile, um mich wieder einzukriegen. In so einem Hotel ließ es sich eine Weile aushalten. Ich sprang auf dem Bett, das eine einzige Spielwiese war, herum wie ein kleiner Junge, während Rudi sich im Bad umschaute. Ich sprang vom Bett und ging ihm hinterher. Das Bad war so groß wie meine Wohnung. Und das Waschbecken war so groß wie meine Badewanne.

Rudi war inzwischen wieder verschwunden, »Hey, Rudi«, rief ich ihm hinterher, »die haben hier extra ein Waschbecken für die Füße«, und kriegte mich kaum noch ein über meinen Gag. Als ich wieder aus dem Bad kam, kniete Rudi vor der Minibar, hielt ein kleines Fläschchen Jack Daniels in der Hand und checkte die Preise. Er blickte zu mir rüber, hielt das Fläschchen hoch und sagte ungläubig: »25 Mark.«

Ich sagte: »Da kann man doch nix sagen. Wirf mir eins rüber.«

Rudi   Später saß ich auf der Couch und bestellte uns was zu essen. Martin war im Bad und lag in der Wanne. Er nehme das gleiche wie ich, hatte er gesagt, bevor er verschwand. Die Bestellung gestaltete sich schwieriger, als ich erwartet hatte, denn die halbe Karte war auf französisch, und erstens beschränkte sich mein Französisch auf *oui madame, non madame* und *sur le pont d'Avignon,* und zweitens bin ich nicht gerade das, was man einen Gourmet nennt. Meine kulinarischen Kenntnisse reichten gerade so weit, daß ich eine Pizza Funghi von Mousse au Chocolat unterscheiden konnte. Also buchstabierte ich dem Typ am anderen Ende der Leitung die einzelnen Gerichte und ließ mir die richtige Aussprache erklären. Ich bestellte zweimal die Nummer 15 und fragte die Stimme, was sie uns noch zum Nachtisch empfehlen könne. Ich hörte wieder ein paar ausländische Worte und ließ mir erklären, daß es sich dabei um irgendein besonderes Eis handelte. Dann entdeckte ich endlich etwas, was ich kannte: Champagner, Dom Perignon. Das war angemessen, fand ich. Ich bestellte zwei Flaschen und zwei Gläser und außerdem ein deutsch-französisches Wörterbuch. Die Stimme kündigte an, daß wir uns in einer Viertelstunde zu Tisch setzen könnten.

Als ich den Hörer auflegte, kam Rudi mit nassen Haaren und einem Handtuch um den Hüften aus dem Bad und wollte wissen, was ich bestellt hatte.

»Zweimal Nummer 15, Eis und Champagner.«

Martin durchforschte die Karte. Dann fragte er: »Was ist Nummer 15?«

»Keine Ahnung. Das Teuerste. Irgendwas mit Fleischbollen.«

Martin blickte mich an: »Zuviel Fleisch ist ungesund.«

Henk   So ein Mist. Natürlich hörten wir gewohnheitsmäßig den Bullenfunk ab. Wir hatten einen ziemlichen Wirbel ausgelöst mit unserer Ballerei vor der Bank. Allerdings war ich doch ein bißchen überrascht, als auf einmal Abduls Name über den Sender lief. Und daß das Auto Frankie gehörte, wußten sie auch schon. Ich fragte mich, ob sie uns damit schon irgendwas anhängen konnten.

Ich hatte ein Scheißgefühl, als ich Frankie anrief.

Abdul   War lustiges Gefühl, als in Radio mein Name war. Hab ich nicht mitgekriegt, worüber Bullen reden. Ich stoß Henk an und sage, hör mal, mein Name. Henk sagt, ja toll, und daß ich habe Reise gewonnen. Ich sage, ich hab bei kein Gewinnspiel mitgemacht. Außerdem: Warum sagen die Gewinner in *Bullenfunk?*

Frankie   Ich hätte nie mehr aus meinem Whirlpool kommen sollen. Irgendwann rief Henk an und eröffnete mir, daß die Bullerei hinter meinem Auto her war. Henk sagte, ich könne mich hundertzwanzigprozentig auf ihn und Abdul verlassen. Hundertzwanzigprozentig! Das sagt mir einer, der mir ein Auto mit einer Million verschlampt und dazu noch die Polizei auf den Hals hetzt! Na ja, bis jetzt konnten sie uns noch nichts anhaben, zumal ich meine Geschäfte von Holland aus abwickelte. Ich habe Henk gesagt, daß ich keinen Grund sähe, ihm nicht zu vertrauen. Und ich habe ihm gesagt, daß was passiert, wenn er und sein bescheuerter Kompagnon den Wagen nicht vor den Bullen finden würden. Mehr habe ich gar nicht zu Henk gesagt. Bloß, daß was *passiert.* Die ganz dezenten Ankündigungen sind meist die wirkungsvollsten, nicht wahr?

Henk   Puh, allmählich ging mir der Arsch auf Grundeis. Als ich mit Frankie telefonierte, war er verdächtig ruhig. Schrie überhaupt nicht rum. Sagte bloß, wir sollten den Wagen möglichst schnell finden, sonst würde was passieren. Hat nicht gesagt, *was* eventuell passieren könnte, hat keine einzige Andeutung gemacht. Ganz schlechtes Zeichen, wenn Frankie so ruhig ist. Abdul meinte, Frankie sei harmlos. Harmlos! Der Idiot hat ja überhaupt keine Ahnung.

Abdul   Ich sage Henk, Frankie ist harmlos. Henk sagt, ich mache Witze. Er sagt, Frankie hat einem, der Geld geschuldet hat, Eier abgebissen. Lebend. Und Eier geschluckt. Ich frage Henk, wieviel Geld der Mann Frankie geschuldet hat. Henk sagt hundert Mark.

Martin   Nach dem Essen lag ich fett auf der Couch und schlürfte an einem Glas Champagner. Ich kann mir nicht helfen, aber ich weiß bis heute nicht, was an dem Zeug so besonders sein soll. Rudi saß in einem Sessel und blätterte in einem kleinen Wörterbuch, um herauszufinden, was wir gegessen hatten. Endlich schien er fündig geworden zu sein. Er blickte mich mit offenem Mund an.

Ich wurde ungeduldig und wollte wissen, was wir da Feines zu uns genommen hatten. Bis jetzt wußte ich bloß, daß es saumäßig gut geschmeckt hatte. Etwas ungewöhnlich zugegebenermaßen, aber verdammt gut.

Rudi glotzte mich an und sagte: »Stierhoden.«

»...?«

»Stierhoden.«

»Du meinst, wir haben die Eier von einem Stier gegessen?«

Rudi nickte und glotzte wieder in das Wörterbuch. Ich rülpste angeekelt und wedelte den Geruch mit der Hand weg. Ich schmatzte ein paarmal und stürzte den Rest Champagner hinunter.

»Ich hoffe bloß, daß das Eis wenigstens Eis war«, sagte ich.

Dann klopfte es an der Tür. Durch die Tür hörten wir eine Stimme: »Zimmerservice. Dürfte ich abräumen?«

Rudi öffnete die Tür. Herein kam ein älterer, grauhaariger Mann, der einen kleinen Wagen vor sich herschob. Er nickte uns zu und begann damit, die Reste unseres Gelages zusammenzuräumen. »Ich hoffe, es hat Ihnen geschmeckt.«

Wir nickten, und ich sagte mehr zu mir selbst: »Inzwischen wissen wir sogar, *was* wir gegessen haben.«

Ich richtete mich auf. Es war mir unangenehm, wie der alte Mann mit unseren dreckigen Tellern herumfuhrwerkte, während wir uns in den Sesseln herumlümmelten. Wahrscheinlich hätte ich es als weniger blöd empfunden, wenn uns statt des alten ein junger Mann bedient hätte. Rudi bot dem Mann ein Glas Champagner an. Er lehnte ab mit dem Hinweis, daß er im Dienst sei.

Ich sagte: »Kommen Sie. Sie sind doch nicht bei der Polizei. Außerdem haben wir zwei Flaschen. Die kriegen wir alleine doch nie leer.« Ich rappelte mich von der Couch hoch, ging zur Minibar, um ein Wasserglas zu holen. Ich gab es Rudi, der mit der Flasche in der Hand auf mich wartete. Er füllte das Glas und hielt es dem Mann hin.

Er blickte unschlüssig zwischen uns hin und her, dann nahm er das Glas, nickte uns freundlich zu und nippte einen Schluck.

Rudi bat ihn, sich zu setzen. Der Mann schien innerlich mit sich zu kämpfen, aber schließlich setzte er sich doch.

Es entstand eine peinliche Pause, keiner von uns wußte so recht etwas zu sagen.

Dann räusperte sich der Mann. Wir blickten erwartungsvoll auf. Er räusperte sich noch einmal, bevor er begann: »Wenn ich Ihnen einen Rat geben darf, meine Herren...«, er zögerte.

Wir blickten ihn verständnislos an. »Sie sollten nicht so

viel Trinkgeld geben«, sagte er und erzählte uns, daß der Bursche, der uns am Mittag aufs Zimmer gebracht hatte, gleich danach gekündigt hatte.

Wir schwiegen einen Moment. Dann fragte ich: »Na und?«

Der Mann sagte bloß: »Na ja« und blickte unsicher im Zimmer umher. Ich fragte ihn, wie lange er schon in dem Hotel arbeite.

»In diesem Jahr sind es vierzig Jahre.«

»Vierzig Jahre in diesem Hotel?« fragte Rudi.

Der Mann nickte. Er begann seine Lebensgeschichte zu erzählen. Er erzählte davon, wie er gleich nach dem Krieg in dem Hotel angefangen und sich langsam vom Küchenhelfer hochgearbeitet habe. Er sagte, daß ihn eine Menge mit dem Hotel verbinde. Er hatte hier seine Frau kennengelernt, ebenfalls vor vierzig Jahren, und zwei Jahre später geheiratet. Sie arbeitete auch hier.

Rudi   Ich denke, wir fühlten uns beide nicht besonders wohl, während der alte Mann seine Geschichte erzählte. Während er noch sprach, zählte ich vierzig Tausender ab. Als er fertig war, drückte ich ihm das Geld in die Hand: »Hier. Vierzig Scheine. Für jedes Jahr einen.« Der Mann war völlig perplex und stammelte, daß er so viel Geld unmöglich annehmen könne. Martin erzählte ihm, daß wir beide nicht mehr lange zu leben hätten. Und wenn er es nicht nähme, bekomme es eben ein anderer. Der Mann wußte nicht, was er sagen sollte. Vermutlich wüßte ich auch nicht, was ich sagen soll, wenn mir zwei Unbekannte aus heiterem Himmel 40000 Mark in die Hand drücken würden. Ich sagte ihm, er solle sich mit seiner Frau einen schönen Urlaub machen. »Setzen Sie sich an den Strand und heben Sie ein Gläschen auf Rudi und Martin«, sagte ich.

»Auf Martin und Rudi«, sagte Martin.

Allmählich fand der Mann seine Sprache wieder – aber nur insoweit, als er uns mitteilte, daß er nicht wisse, was er sagen solle. Er faltete die Scheine sorgfältig in der Mitte, steckte sie in die Hosentasche und stand langsam auf. Bevor er mit seinem Wägelchen die Tür erreichte, rief ihn Martin noch einmal zurück. Der Mann drehte sich fragend um, und Martin sagte lächelnd: »Aber nicht kündigen.« Der Mann lächelte ebenfalls.

Kurt Wagenfeld, Hotelangestellter   Ich weiß von den beiden Männern nur, daß sie Rudi und Martin hießen. Und daß sie mir 40000 Mark gegeben haben! Mir! Einem völlig fremden Menschen! 40000 Mark! So viel Geld hatte ich in meinem ganzen Leben noch nicht auf einem Haufen gesehen. Sie sagten, ich solle einen Urlaub machen. Du meine Güte, der letzte Urlaub, den ich mit meiner Frau verbracht hatte, lag inzwischen ich weiß nicht wie viele Jahre zurück. Unser letzter *richtiger* Urlaub jedenfalls. Also unser letzter Urlaub im Ausland. Ich wußte nicht, wie ich das meiner Frau erklären sollte. Ich dachte, vermutlich wird sie denken, ich hätte eine Bank überfallen.

Du meine Güte! 40000 Mark! Haben Sie schon mal 40000 Mark *geschenkt* bekommen? Geschenkt! 40000 Mark verschenkt man doch nicht so einfach. Schon gar nicht an einen wildfremden Menschen. Bei Spendenaktionen im Fernsehen sagen sie manchmal, daß jemand 1000 Mark spendet oder meinetwegen auch 10000 Mark oder 100000 Mark. Aber schenken?

Die beiden hatten mir erzählt, daß sie das Geld gefunden und nicht mehr lange zu leben hätten.

Hätten Sie diese Geschichte geglaubt?

Ich habe sie nicht geglaubt, aber ich habe auch nicht weiter nachgefragt.

Ich wüßte gerne, was aus den beiden geworden ist.

8.

Das ist ein guter Wunsch

Martin Später saßen wir auf dem riesigen Himmel-
bett und schrieben Wünsche auf, die wir uns noch erfüllen wollten. Rudi war auf die Idee gekommen. Ich mußte an die Geschichten aus Tausendundeiner Nacht
denken, in denen irgend jemand drei Wünsche bekommt.
Ich hatte mich immer darüber gewundert, warum dieser
jemand nie auf die eine geniale Idee kam: warum er sich
nie wünschte, unendlich viele Wünsche zu haben. Statt
dessen wünschten sie sich allen möglichen Mist. Ich erinnerte mich dunkel an einen Film, der im Orient spielte
und in dem ein Dieb einen Geist aus einer Flasche befreit,
also dieses Aladin-und-die-Wunderlampe-Motiv. Und
was wünscht sich der Depp als erstes? Einen Teller Brat-
würste!

Als ich die erste Seite vollgeschrieben hatte, blickte ich
auf Rudis Blatt und fragte ihn, wieviel er schon hatte. Er
hatte acht Wünsche. Ich hatte *zwanzig*.

»Zwanzig? Dir ist aber schon klar, daß dir der Arzt nur
noch ein paar Tage gegeben hat?«

Ich grübelte. »Vielleicht sollte jeder von uns nur einen
Wunsch nehmen. Den wichtigsten.«

Rudi schaute auf sein Blatt und befand sich offensichtlich wieder in einer Phase der schnellen Entscheidung,
ich erwartete seine Antwort in zwei bis drei Wochen. Also schlug ich ihm vor, daß jeder eine Nummer vom Blatt
des anderen auswählte. »Du fängst an.« Rudi überlegte
einen Moment, dann sagte er: »Nummer eins.«

»Nummer eins. Wie einfallsreich.« Ich blickte auf meinen Zettel. Nummer eins war der Cadillac für meine Mutter. Rudi blickte mich fragend an. Über diesen ersten Wunsch hatte ich keine Sekunde nachdenken müssen. Ich erklärte es ihm: Ein Cadillac mußte es sein. Und zwar exakt so ein Cadillac, wie ihn Elvis seiner Mutter geschenkt hat. Meine Mutter ist Elvis-Fan, ich glaube, wenn sie als Mann auf die Welt gekommen wäre, wäre sie Elvis-Imitator geworden. Die Geschichte mit dem Cadillac hab ich als Kind im Fernsehen gesehen. Elvis hatte seiner Mutter einen Cadillac Fleetwood geschenkt. Und meine Mutter saß vor dem Fernseher und hat geweint. Seit diesem Augenblick hatte ich mir gewünscht, daß ich so was auch mal machen könnte.

Rudi   Ich fand Martins Wunsch mit dem Cadillac wirklich schön. Er hatte auf eine merkwürdige Art etwas Romantisches, das ich Martin gar nicht zugetraut hatte. Ich hatte den Eindruck, daß er stets bemüht war, obercool zu tun, aber langsam glaubte ich, daß es die reine Fassade war, die er mir und der Welt vorspielte. Ich selbst hatte niemanden, dem ich groß etwas hätte schenken können. Jedenfalls niemanden, bei dem es mir Spaß gemacht hätte, ihm etwas zu schenken. Ich hatte eine Tante, aber die hatte ich erstens Jahre nicht gesehen, und zweitens wußte ich eben nicht, was ich ihr schenken sollte.

Dann wählte Martin meinen Wunsch aus. Er wählte ebenfalls die Eins. Ich blickte auf meinen Zettel und fragte ihn, ob er nicht eine andere Zahl nehmen könne. Ich sagte, mein erster Wunsch sei ein Scheiß-Wunsch, aber er sagte, das seien eben die Spielregeln, und zog mir mein Blatt aus den Händen. Ich nehme an, daß ich knallrot geworden bin, als Martin meinen Wunschzettel las. Er las den Zettel und blickte mich überrascht an. Ich zog eine Grimasse.

»Zwei Frauen?« fragte er. Mir war am Anfang echt nichts Besseres eingefallen. »Im Puff?«

»Ich bevorzuge das Wort Bordell«, sagte ich matt.

»Ficken?«

Ich stöhnte. »Mit ihnen schlafen, ja.«

Martin haute auf die Bettdecke und lachte kurz auf. »Ficken! Dein größter Wunsch ist es, in einem Puff zwei Frauen zu ficken!«

Seine Wortwahl war mir peinlich. »So sagt man das wohl in deiner Sprache.«

»So sagt man das in deiner Sprache«, äffte er mich nach. »So sagt man das in *jeder* Sprache. ›*Schlafen*‹«, er sagte das Wort mit voller Verachtung, »›schlafen‹ ist sich umdrehen und die Augen zumachen. Was du willst, ist ficken...«

Ich schwieg.

Er blickte wieder auf meine Wunschliste und grinste.

Dann bekam er einen erneuten Anfall. Sein Körper begann zu zucken, er verzog das Gesicht und ließ sich auf das Bett fallen. Ich rannte los, um seine Pillen zu suchen. Ich fand sein Jackett auf einem Stuhl neben der Eingangstür und durchkramte die Taschen. Aus dem Nebenzimmer hörte ich Martin röcheln. Ich fand die Tabletten, rannte zurück und öffnete währenddessen das Röhrchen. Martin lag verkrampft auf dem Bett, sein Gesicht war schweißüberströmt, seine Augen waren weit aufgerissen, aber ich glaube nicht, daß er etwas sah. Ich nahm seinen Kopf und steckte ihm die Tabletten in den Mund.

Martin Das war der zweite Anfall an einem Tag. Kein besonders ermutigendes Zeichen, fand ich. Bisher hatte ich die Anfälle allenfalls im Wochenrhythmus bekommen, und selbst dann nie in dieser Intensität.

Als ich wieder zu mir kam und die Augen öffnete, blickte ich direkt in Rudis Gesicht. Er hielt meinen Kopf und sah mich an. In seinem Blick steckte eine Mischung aus Angst, Verzweiflung und Mitgefühl. Seine Hand streichelte über meine Haare. Er lächelte, als ich die Augen aufschlug. Ich verspürte plötzlich eine merkwürdige Zärtlichkeit, es war angenehm zu spüren, wie seine Hand über meinen Kopf streichelte, aber je mehr ich zu mir kam, um so unangenehmer wurde mir diese Nähe. Schließlich quälte ich mir ebenfalls ein Lächeln ab und sagte: »Sag mal, du bist doch nicht schwul, oder?«

Rudi löste die Umarmung ein wenig. Er wurde wieder rot und sagte: »Nee. Du weißt doch, was mein erster Wunsch war... Ich wollte doch mit zwei Frauen... ficken.«

Rudi   Ich saß auf dem Bett und hielt Martins Kopf in meinen Händen. Ich mußte daran denken, daß ich noch nie in natura einen toten Menschen gesehen, geschweige denn in den Armen gehalten hatte. Als mein Vater starb, hielt man mich noch für zu jung, um ihn nach seinem Tod noch einmal sehen zu dürfen. So sehe ich als letztes Bild von ihm, an das Ich mich erinnern kann, wie er auf einem Krankenbett liegt, umgeben von Kabeln, Schläuchen und Maschinen. Ich habe ihn angesprochen, leise, aber er hat keine Reaktion gezeigt, ich weiß nicht, ob er mich gehört hat. Meine Mutter starb zehn Jahre nach meinem Vater, damals wohnte ich schon in einer anderen Stadt, und als ich ihr zwei Tage nach ihrem Tod zum letzten Mal gegenübertrat, empfand ich nicht, neben einer Leiche zu stehen. Sie war schon zurechtgemacht worden und sah wirklich so aus, wie ich es bis dahin schon oft aus Erzählungen gehört hatte: ruhig, friedlich, wie eine Schlafende. Ich hatte es nicht über mich gebracht, sie zu berühren; heute denke ich, daß ich wohl Angst davor hatte, daß sie sich kalt anfühlen könnte. Die einzigen toten Wesen, die sonst je in mein Leben getreten waren, waren zwei Hamster und ein Wellensittich, die ich als Kind nacheinander besessen hatte. Alle drei Tiere lagen eines Morgens tot in ihren Käfigen, ich stupste ein bißchen an ihnen herum, ich erinnere mich daran, daß ich den Kopf des Vogels hochgehoben und mich darüber gewundert habe, wie leicht er war. Ob Martins Kopf sich auch so leicht würde heben lassen, wenn er tot war? Ich vertrieb diesen Gedanken.

Es dauerte ziemlich lange, bis Martin wieder zu sich kam. Er löste sich aus meiner Umarmung, rutschte ans Kopfende des Bettes und legte seinen Kopf auf das Kissen. Da war es wieder. Ich habe oft Frauen darum beneidet, wie zwanglos sie sich berühren können. Wenn zwei Freundinnen sich treffen, umarmen sie sich. Wenn zwei Freunde sich treffen, umarmen sie sich fast nie, und wenn sie sich umarmen, tun sie das längst nicht so herzlich, wie es Frauen tun. Ich habe mich oft gefragt, woran das liegt. Hält man Männer, die sich umarmen, automatisch für schwul? Ich fand Martins Reaktion ziemlich typisch.

Nach einer Weile fragte er: »Hast du eigentlich irgendwo 'ne Freundin sitzen? Oder vielleicht sogar 'ne Frau? Ein Kind?«

»Hm. Keine Frau, kein Kind. Im Moment hab ich nicht mal eine Freundin.« Wie sagte Woody Allen: *Keine meiner Beziehungen hatte länger gedauert als die Ehe zwischen Adolf Hitler und Eva Braun.* Es entstand eine Pause, dann ergänzte ich: »Eigentlich schon ziemlich lange nicht.« Wieder Schweigen. »Und du?«

Er blies geräuschvoll die Luft aus. »Nichts Festes. Ist aber auch gut so. Ich komme immer wieder mal zum Schuß. Das reicht.«

»Zum *Schuß*«, sagte ich, und es sollte ein bißchen von oben herab klingen.

Er zog sich noch ein Kissen heran und schob es unter seinen Kopf. Er hob den rechten Zeigefinger. »Weißt du, was ein Freund von mir mal gesagt hat? Er hat gesagt, daß es ökonomisch eigentlich unverantwortlich ist, Freundinnen zu haben. Im Prinzip sei es viel günstiger, in einen Puff zu gehen.«

»...?«

»Na, überleg doch mal. Wie lange dauert es, bis du eine Frau im Bett hast? Du mußt charmant sein, sie ausführen, Geschenke machen. Kannste dir alles sparen.«

»Sparen ist gut.«

»Klar, sparen, rechne doch mal alles zusammen, was du mehr ausgibst, nur weil du mit jemandem zusammen bist.«

»Du tust so, als sei der einzige Grund, weshalb man eine Partnerin hat, mit ihr zu schlafen..., pardon, zu ficken.«

Martin sagte nichts, sondern breitete theatralisch die Hände aus und ließ sie aufs Bett fallen.

»Hmmm. Ich hab mal gehört, daß jeden Tag *eine Million* Männer zu Prostituierten gehen? Wahnsinn, oder?«

»Nicht schlecht.«

»Obwohl ich mir das, ehrlich gesagt, nicht vorstellen kann. Eine Million! Pro Tag! Das sind in einem Monat sämtliche Männer dieses Landes, einschließlich Babys und Opas.«

»Na eben, gerade Opas!«

»Warst du schon mal im Puff?«

Martin blies geräuschvoll die Luft aus. »Ja, aber das ist schon lange her.«

»Ich kann mir das nicht vorstellen. Wie läuft denn so was? Worüber redet man denn da?«

»...?«

»Na, ich meine, ihr müßt doch irgendwas sagen. Oder geht ihr einfach in ein Zimmer, zieht euch wortlos aus, und dann geht's los? Ich war mal mit einem Freund auf der Reeperbahn unterwegs und bin von einer angesprochen worden. Die kam auf uns zu und meinte: ›Na, ihr beiden, jetzt aber mal schnell zweimal im Stehen.‹«

»Und?«

»Was und? Nichts natürlich. Was sollte das denn heißen!? Zweimal schnell im Stehen! Geht die mit uns in eine Ecke, und dann stellen wir uns hintereinander auf oder wie?«

»Hättest du es ausprobiert, dann wüßtest du's.«

Wir schwiegen eine Weile. Dann fragte ich: »Und *wann* bist du zum letztenmal *zum Schuß* gekommen?«

»Oh, das war gestern erst. Kam ziemlich überraschend.«

»...?«

»Das war mit so 'ner Schwester. Nachdem sie mich in den Computertomographen gefahren hatte.«

»Ach so, na klar. Stimmt, da fällt's mir wieder ein. Ich hab's ja auch mit einer Schwester gemacht – während der Blutabnahme.«

»Du glaubst mir nicht, was?«

»Wundert dich das?«

»Ist aber wahr. Ich lag halbnackt auf dem Gerät und hatte keine Ahnung, was die mit mir vorhatten. Also fing ich mit der Schwester ein Schwätzchen an. Stellte ein paar belanglose Fragen: ›Wie lange arbeiten Sie denn schon hier? Gefällt es Ihnen?‹ All so 'n Zeug eben. Als ich wieder aufstehen durfte, gab sie mir meine Hose und kam mir dabei überraschend nahe. Ihr Gesicht war bloß ein paar Zentimeter von meinem entfernt. Also beugte ich mich vor und küßte sie. Sie schien nichts dagegen zu haben, jedenfalls spürte ich ihre Zunge. Also wollte ich sehen, wie weit ich gehen konnte. Ich fuhr mit meiner Hand unter ihren Kittel und beschäftigte mich eine Weile mit ihrem Hintern. Dann knöpfte ich ihren Kittel auf. Na ja, hin und her, wie das eben so ist, wir fingen an rumzufummeln, und irgendwann flüsterte ich ihr ins Ohr, ob nicht jemand ins Zimmer kommen könne, aber sie schüttelte mit dem Kopf. Es kam auch keiner, allerdings klingelte plötzlich das Telefon, während ich in ihr drin war. Sie nahm ab und meldete sich, ließ sich aber in ihrem weiteren Tun nicht stören. Am anderen Ende der Leitung war wohl der Arzt. Jedenfalls meinte sie, daß ich bald fertig sei und bald komme.

Womit sie im Prinzip auch recht hatte.« Er zögerte. »Na ja, ich muß dir hier ja nicht alle Einzelheiten erzählen.«

Mußte er wirklich nicht, ich war schon genug damit beschäftigt, sie mir auszumalen. Ich wußte nicht, ob ich Martin die Geschichte glauben sollte. Aber als er mit seiner Erzählung fertig war, hatte ich einen Ständer.

Nach einer Weile sagte ich: »Warum passiert *mir* so was nie?«

»Guck dich doch an, dann weißtes«, blökte er los.

9.

Waffen weg! Oder ich töte die Geisel!

Rudi   Als ich am nächsten Morgen wach wurde,
brauchte ich einen Moment, um zu kapieren, wo ich war.
Martin lag neben mir und schnorchelte leise vor sich hin.
Ich stand vorsichtig auf und ging ins Nebenzimmer, holte mir ein Fläschchen Orangensaft aus der Minibar und
ging auf den Balkon. Die Sonne schien, aber es war noch
nicht allzu warm. Ich fragte mich wieder einmal, ob das
alles wahr war, was ich in den vergangenen Tagen erlebt
hatte. Ich kniff mich und kam mir selbst albern dabei vor.
Komisches Leben. Ich atmete tief ein und blickte in den
Hof.

Verflucht!

Ich kniff die Augen zusammen und fühlte, wie sich
mein Magen ebenfalls zusammenkniff, falls das überhaupt geht. Unten standen zwei Polizeiautos neben unserem Wagen, und ich sah gerade noch, wie zwei Polizisten im Hotel verschwanden, während die anderen
beiden um unseren Wagen herumgingen.

Ich flitzte zurück ins Schlafzimmer und rüttelte Martin wach, der vermutlich gerade wieder mit einer Krankenschwester auf einem Computertomographen beschäftigt war.

Martin   Interessant, was man in bestimmten Situatio-
nen über sich selbst lernen kann. Ich wußte zum Beispiel
nicht, wie schnell ich mich anziehen kann – schön zu wissen, daß ich im Notfall auch bei der Feuerwehr hätte an-

fangen können. Nachdem Rudi mich aus dem erotischsten Traum meines Lebens gerissen und mir mitgeteilt hatte, daß wir in schätzungsweise zwei Minuten Besuch von ein paar Bullen bekommen, saß ich aufrecht im Bett. Eine Minute und fünfzig Sekunden später stürmten wir aus der Suite, Rudi mit dem Geldkoffer in der Hand, ich mit der Pistole. Auf dem Weg zum Aufzug zog ich mir den Reißverschluß zu, und auch Rudi fummelte noch an seinen Klamotten rum. Ich hatte keine Ahnung, was wir machen sollten, wenn wir auf die Polizisten treffen sollten. Ihnen Geld anbieten? Eine wilde Schießerei anfangen? Vielleicht lag das aber auch gar nicht in unserer Hand – was, wenn die Polizisten eine wilde Schießerei anfingen? Dürfen die das überhaupt? Wir bogen um eine Kurve und sahen den Aufzug am Ende des Gangs. Das kleine Licht leuchtete auf, es machte pling, und ich sagte zu Rudi: »Haben wir ein Glück, da ist ja schon der Aufzug.« Wir blieben stehen, und ich zielte mit der Pistole auf die Türe. Ich wäre gerne mit jemandem eine Wette eingegangen, wer da wohl herauskommen würde, ich rechnete mit Schneewittchen und den sieben Zwergen.

Mit einem sanften Surren öffnete sich die Aufzugstüre. Im Aufzug standen zwei Polizisten an die Seitenwände gedrückt, ein Mann und eine Frau, mit gezückten Knarren, sie zielten erst in den Gang und eine Sekunde später auf uns.

Mir schoß ein Gedanke durch den Kopf. Ich zog Rudi an mich heran, hielt ihm die Pistole an den Kopf und rief: »Waffen weg! Oder ich töte die Geisel!«

Ich hoffte inständig, daß Rudi kapierte.

Rudi   Für einen Moment war ich verwirrt, als Martin mich plötzlich an sich heranzog, doch dann fiel der Groschen. Ich rief den Polizisten zu, sie mögen tun, was Martin sagt, und ich hoffte, daß es ängstlich klang.

Martin   Wenn wir es nicht ein bißchen eilig gehabt hätten, hätte ich Rudi umarmt. Der Junge stand wohl doch nicht ständig auf der Leitung, jedenfalls spielte er diesmal seine Rolle wirklich überzeugend. Die Polizisten traten langsam aus dem Fahrstuhl in den Gang und legten noch langsamer ihre Knarren auf den Boden und hoben schließlich ihre Hände.

Ich will mich ja nicht loben, aber wie die beiden so vor uns standen, hatte ich eine weitere Idee der Marke Genial.

Werner Obermaier   Ich hatte es gewußt, ich hatte es von Anfang an gewußt, daß die beiden Typen nicht koscher waren. Von Anfang an. Von dem Moment an, als sie ohne jedes Gepäck in mein Hotel marschierten und ohne mit der Wimper zu zucken eine Suite für 12 000 Mark pro Nacht mieteten.

O Gott, Polizei im Haus, nichts ist schlimmer für ein Hotel! Kommen da zwei Beamte reingetapst und fragen nach den beiden Männern, denen der Mercedes auf dem Parkplatz gehört. O Gott, gesucht wegen eines Tankstellen- und eines Banküberfalles! Und ausgerechnet in meinem Hotel haben sie sich eingemietet. Ich bat die Polizisten, doch um Himmels willen leise zu sprechen. Sie versprachen mir, dezent vorzugehen, verschwanden im Aufzug und fuhren nach oben. Ich war heilfroh, daß sie nicht auf die Idee kamen, mich mitzunehmen.

Ein paar Minuten später kam der Aufzug wieder runter, und die beiden Polizisten traten heraus und und gingen mit schnellen Schritten durch die Halle Richtung Ausgang. Ich trat ihnen entgegen und fragte sie, ob sie die Gangster gefangen hätten. Der eine raunte bloß im Vorbeigehen ein »Noch nicht«, der andere blieb stehen und sagte, daß man das Bombenkommando alarmieren müsse, weil die Gangster das Hotel in die Luft jagen wollten. O Gott, Bombenkommando, Hotel in die Luft jagen, das hatte mir noch gefehlt!

Ich habe später lange über die ganzen Ereignisse nachgedacht, aber mir ist wirklich nicht aufgefallen, daß ein Polizist und eine Polizist*in* nach oben gefahren, jedoch zwei Polizist*en* wieder heruntergekommen waren.

Martin Langsam wurde mir Rudi schon fast unheimlich. Nachdem wir die beiden Polizisten ausgezogen und an einen Stuhl gefesselt hatten, fuhren wir im Aufzug nach unten. Der völlig hektische Hotelmanager kam uns entgegen, erkannte uns in seiner Panik aber offenbar nicht in unserem neuen Outfit.

Statt dessen fragt er, ob wir die Verbrecher schon gefangen hätten. Ich sage bloß »nein« und rausche vorbei, weil ich endlich raus will aus dem Hotel. Und was macht Rudi in einem völlig überraschenden Anfall von Coolness? Geht zu dem Mann und quatscht was von Bombenkommando, das wir informieren müßten.

Ich habe ihn am Arm gepackt und mit mir mitgeschleift.

Karl-Heinz Wagner, Polizist Hou, hou, hou, das war vielleicht eine peinliche Situation. Ich und meine Kollegin, Frau Schwarz, in Unterwäsche.

Die beiden Gesuchten hatten uns unsere Uniformen abgenommen, mich auf einen Stuhl gefesselt und mir meine Kollegin auf den Schoß gesetzt, ausgerechnet so, daß sie mir gegenübersaß, also, daß sie mich anguckte, verstehen Sie, was ich meine? Na ja, wir saßen halt in ziemlich eindeutiger Pose da. Und meine Kollegin ist nicht gerade die Kleinste und auch sonst nicht gerade schlecht gebaut, wenn Sie verstehen, was ich meine. Also, jedenfalls saß ich da und, na ja, also ihre, äh, tja, ihre Brüste waren genau auf Höhe meiner Augen, also meines Kopfes, verstehen Sie? Und die beiden Gesuchten hatten uns ziemlich fest aneinander gebunden, also, sie hatten Gardinenschnüre genommen und sie ziemlich fest angezogen, na ja, jedenfalls hatte ich alle Mühe, meinen Kopf aus ihren Dings, äh, also aus ihrem BH zu halten. Frau Schwarz hatte so einen lilafarbenen BH mit Spitzen an, sah wirklich nicht schlecht aus, also, äh, na ja, tut ja auch nichts weiter zur Sache. Ich meine, ich mag meine Kollegin eigentlich ganz gerne, und irgendwie fand ich die Situation auch gar nicht sooo unangenehm, wenn Sie verstehen, was ich meine. Aber es wäre mir halt lieber gewesen, wenn sie ohne die Fesseln zustande gekommen wäre, und ich wußte ja auch nicht, wie Frau Schwarz die ganze Situation aufgefaßt hatte, ich meine, vielleicht wäre es ihr ja sogar ganz lieb gewesen, wenn ich meinen Kopf *nicht* so krampfhaft aus ihrem, äh, na ja, also herausgehalten hätte, ich meine, ich glaube, sie findet mich eigentlich sogar ganz attraktiv, ich hatte auch mal kurz überlegt, ob ich nicht einfach meinen Kopf an sie anlehnen sollte, also, an ihre Brüste, ich hab das natürlich bloß ganz kurz überlegt, äh...

Na ja.

Auf jeden Fall... nach ein paar Minuten hörte ich endlich einen Rumms vor der Tür. Es rummste noch mal, dann wurde die Tür aufgestoßen, und unsere Kollegen standen im Zimmer.

Ja, äh, und die haben uns dann losgebunden. Leider, hahaha.

Die beiden Gesuchten hatten sie nicht gesehen, sie waren nämlich nach ein paar Minuten auf den glorreichen Gedanken gekommen, uns nachzugehen – allerdings über die Treppe! Um den Gesuchten eventuell den Weg abschneiden zu können. Weil wir, also meine Kollegin und ich, ja im Aufzug nach oben gefahren waren.

War ja eigentlich gar nicht mal so dumm gedacht.

Tja.

Und als wir unten waren, da waren sie schon weg.

Mit einem unserer Fahrzeuge.

War schon blöd, irgendwie.

Rudi　　Als wir aus dem Hotel kamen, erwarteten wir eigentlich, auf die beiden anderen Polizisten zu stoßen. Aber da standen bloß zwei Typen im Hof, einer von beiden sah aus wie ein Araber oder so, auf jeden Fall kam er aus südlicheren Gefilden. Die beiden glotzten auf den Mercedes. Erst sehr viel später fiel mir wieder ein, wo ich die beiden schon mal gesehen hatte. Als sie sahen, daß wir, also zwei Polizisten, auf sie zukamen, erschraken sie. Sie standen da wie zwei Schuljungen, die man beim Rauchen erwischt hatte, und suchten auf dem Boden nach Stecknadeln.

Martin sagte: »Schicke Gurke, was?«

Weil der Araber so verdutzt guckte, zeigte Martin auf das Auto: »Na, der Wagen. Geil, oder?«

Der Araber sagte: »Ist unser Auto.«

Nun müssen *wir* ziemlich sprachlos dagestanden haben, jedenfalls erklärte der andere, daß ihnen der Wagen vor zwei Tagen geklaut worden sei. Als er »Herr Wachtmeister« sagte, mußte ich unwillkürlich grinsen.

Ich blickte Martin an.

Martin　　Sachen gibt's. Da standen wir also vor den Typen, denen wir im Krankenhaus das Auto geklaut hatten. Ich gab mir Mühe, aber ich konnte mir nicht erklären, wieso sie jetzt hier vor dem Hotel rumschlichen. Nun ja, immerhin dürften sie ihre Million vermißt haben. Aber woher wußten sie denn, daß wir hier waren? Na ja, schließlich verstand ich ja so einiges nicht, was in den vergangenen Tagen abgelaufen war. Ich hatte keine Lust mehr, mir weiter den Kopf zu zerbrechen, und fragte noch einmal: »Das ist also euer Auto?«

Die beiden nickten heftig und ausdauernd.

Ich warf einen Blick auf den Koffer in Rudis Hand und dachte mir, was soll's, sollen sie ihr Auto zurückbekommen. Ich zog die Schlüssel aus meiner Tasche und hielt sie ihnen hin: »Also, wenn das euer Auto ist... hier sind die Schlüssel.« Der eine der beiden, der mehr wie ein Europäer aussah und mit einem leichten holländischen oder belgischen oder luxemburgischen Akzent sprach, nahm mir die Schlüssel so vorsichtig aus der Hand, als fürchte er, daß sie jeden Moment explodieren könnten.

Wir gingen zu einem der Polizeiwagen.

Das Duo stand ziemlich ratlos herum, schließlich kam uns der Holländerbelgierluxemburger hinterher und fragte, ob er nicht irgendwas unterschreiben müsse oder so.

Rudi sagte: »Nur wenn Sie wollen. Wollen Sie?«

Der Holländerbelgierluxemburger schüttelte verwirrt den Kopf.

Ich sagte: »Und was haben wir gelernt? Niemals den Schlüssel hinter der Sonnenblende lassen.« Dann ließ ich den Motor an und trat aufs Gaspedal.

Abdul   Waren nette Bullenschweine. Haben uns Auto gegeben. Einfach so. Hab keinen auf Kopf hauen oder legen müssen.

Henk   Mann, war ich froh, als wir wieder in unserem Auto saßen und auf dem Weg zu Frankie waren. Wir mußten noch nicht mal was unterschreiben. Abdul mußte auch niemanden umhauen. Tolle Sache. Die Bullen haben uns unser Auto einfach so wiedergegeben.

Während wir unterwegs waren, hab ich mir gedacht, daß das von den Bullen eigentlich ziemlich leichtsinnig war. Schließlich hätte da jeder kommen und behaupten können, daß das sein Auto sei.

Aber ein bißchen Glück durften wir ja wohl haben, nach dem ganzen Streß der vergangenen Tage.

Franz Schneider   Es gibt ein paar Dinge, die ich überhaupt nicht leiden kann, und eines davon ist, wenn man mir nicht mal auf der Toilette meine Ruhe läßt. Da saß ich also und las in der Blöd-Zeitung, was gerade *In* und was *Out* war, als ich auf einmal Kellers Stimme hörte, die nach mir rief. Ich gab einen von mir und hörte, wie Keller vor meine Tür kam. Er sagte mir, daß er mir eigentlich nur sagen wollte, daß unsere beiden Todkranken einen Polizeiwagen geklaut hatten. Ich fragte Keller, ob er damit nicht warten konnte, bis ich wieder im Büro war, und begann mich anzuziehen. Keller druckste ein wenig herum, na ja und so, und da sei noch was anderes. Ich drückte die Spülung, öffnete die Türe und ging an ihm vorbei zum Waschbecken. Offensichtlich wollte Keller wieder zu einem seiner unterhaltsamen Ratespielchen ansetzen.

Ich fragte ihn: »Was ist, Kelly? Soll ich Pfeile werfen?«
»Da kommst du nie drauf.«

Ich werde wirklich nicht schnell wütend, aber in diesem Moment sah ich wirklich schon das erste Tröpfchen auf dem Rand meines Emotions-Fasses balancieren. »Keller!« schnauzte ich ihn an.

Keller ließ sich kaum davon beeindrucken, daß ich ihn mit seinem richtigen Namen ansprach (was für ihn eigentlich Zeichen höchster Ungeduld meinerseits sein sollte – wiederum hätte es mich aber auch gewundert, wenn er kapiert hätte). »Also«, begann er, und ich mußte dabei an meinen alten Erdkundelehrer denken, der, wenn einer von uns einen Satz mit ›also‹ begann, sofort unterbrach und sagte: »Also schuf Gott Himmel und Erde…« Ich ließ Keller gewähren, der Tag war ja noch lang, irgendwann würde ich schon erfahren, was er mir sagen wollte. »Also, dieser andere Typ, dieser Wurlitzer, also der ist seine Geisel…«

Ich verstand noch weniger als Bahnhof, ich verstand nur Abstellgleis. Geisel?

Keller erzählte mir – überraschend flüssig und ohne zwischengeschaltete Fragerunden –, daß die Kollegen beobachtet hätten, wie dieser Brest ihm eine Pistole an den Kopf gehalten und damit gedroht hatte, ihn umzubringen.

Für mich ergab das alles überhaupt keinen Sinn mehr. »Und?« fragte ich Keller, »jetzt hat dieser Brest ein Polizeiauto geklaut. Und wo ist er jetzt?«

Keller zuckte mit den Schultern.

Ich fragte ihn, ob die Polizei möglicherweise über irgendwelche Möglichkeiten verfüge, so etwas eventuell und gegebenenfalls herauszubekommen. Nur so als kleiner Hinweis.

Frankie   Ich konnte es kaum glauben, als die beiden Schätzchen mit dem Mercedes vor meinem Puff vorfuhren. Tief in meinem Innersten hatte ich die Kohle schon abgeschrieben, und nun stand der Wagen wirklich vor mir. Ich stand zwischen Henk und Abdul, deren Grinsen ihnen fast die Gesichter zerriß, und legte meine Arme um ihre Schultern. Ich sagte ihnen, ich hätte gewußt, daß ich mich auf sie verlassen kann. Ich sagte ihnen, daß sie gute Arbeit geleistet hätten.

Ich hätte meine Schnauze halten sollen.

Pfff.

Ich schnippe mit den Fingern, und Abdul gibt mir grinsend die Autoschlüssel.

Ich gehe an den Kofferraum und schließe ihn auf und hebe die Klappe hoch und gucke hinein und sehe, daß er leer ist, und ich schließe die Augen und öffne sie wieder, und ich gucke noch einmal hinein und schließe die Augen wieder und frage mich, ob ich eine Pistole dabei habe, um die beiden Püppchen umzulegen, und ich knalle die Kofferraumklappe zu und drehe mich um.

Ich frage die beiden, wo der Koffer ist.

Henk hört auf zu grinsen, glotzt mich an und sagt: »Frankie. Was denn für ein Koffer, Frankie?«

Frankie, Frankie, Frankie.

Gut, gut, ich bin dann wohl wieder etwas laut geworden. Ich habe ihnen ausführlich erklärt, daß in dem Kofferraum ein Koffer mit einer Million war, die ich Curtiz schuldete, daß die Frist zur Rückzahlung seit drei Tagen abgelaufen war und daß Curtiz bereits ein kleines bißchen ungeduldig geworden war, nur ein winzig kleines bißchen, was ja auch zu verständlich war, wenn man auf eine Million wartete. Und ich habe meinen Schätzchen erklärt, daß *sie* nunmehr *mir* eine Million schuldeten und daß sie zusehen sollten, sie irgendwo aufzutreiben, und zwar möglichst schnell, am besten so in den nächsten zwei bis drei Sekunden.

Henk hat mich gefragt, wie sie das machen sollten.

Ich habe ihnen einige Tips gegeben. Ich habe ihnen vorgeschlagen, Lotto zu spielen oder eine Bank um einen Kredit zu bitten oder ihre Eltern anzupumpen.

Dann bin ich wieder in meinen Whirlpool gestiegen, der inzwischen ohnehin mein zweites Zuhause geworden war.

Henk   Und ich war noch so froh daß wir endlich den Wagen wiederhatten und Frankie strahlte wie ein Honigkuchenpferd und umarmte uns und ich dachte noch jetzt haben wir bei Frankie aber endgültig 'nen Stein im Brett aber endgültig aber dann will Frankie auf einmal die Schlüssel und ich dachte noch als Frankie sich die Schlüssel hat geben lassen und als er zum Kofferraum gegangen ist da dachte ich noch was will Frankie am Kofferraum und ich hatte schon die ganze Zeit gedacht wieso ist die Karre eigentlich so wichtig für ihn er kann sich doch jederzeit ein neues Auto kaufen ach was er kann sich zehn neue Autos kaufen, zwanzig dreißig er kann sich so viele Autos kaufen wie er will und so toll ist die Karre schließlich noch nicht mal ich meine gut und schön sie sieht ganz nett aus, aber sooo ein Spektakel muß er doch wirklich nicht darum machen und ich hab gedacht was ist also so wichtig und als er an den Kofferraum gegangen ist hab ich gedacht ach du Scheiße hab ich gedacht da geht's gar nicht um das Auto es geht gar nicht um das Scheißauto da war irgendwas im Kofferraum und als er gefragt hat wo der Koffer ist der Koffer mit der Million der Koffer mit der Million MIT DER MILLION da hab ich bloß noch dieses Wort im Kopf gehört MILLION MILLION MILLION und ich hab gedacht das war's auf Wiedersehen Welt war schön daß ich hier eine Weile zu Gast sein durfte jetzt murkst Frankie uns ab jetzt beißt er uns die Eier ab jetzt geht's uns an den Kragen woher sollen wir denn eine Million nehmen ich hab noch nie in meinem Leben eine Million gesehen ich weiß ja gar nicht wie eine Million aussieht ich weiß nicht einmal wie man eine Million schreibt ... O SCHEEEEEIIIISSEEE ...

Abdul   Konnt ich nix für. Hätt ich gewußt, daß Million im Auto, hätt ich selbst genommen, hätt ich Henk gelegt, und wär ich selbst abgehauen.

10.

Komm! Komm, wir müssen weg hier!

Martin Polizeiauto fahren ist ja schön und gut und bringt im normalen Straßenverkehr auch ein paar Vorteile, ist aber im Endeffekt doch ein bißchen auffällig. Wir mußten die Karre so schnell wie möglich loswerden. Bloß, wer tauscht seinen Wagen gegen ein Polizeiauto?

Harald Rowitz Also eine Geschichte hab ich da erlebt... Als alles vorbei war, hab ich gesagt, Harald, hab ich gesagt, das glaubt dir keiner, wenn du das irgend jemandem erzählst. Ich sag mal, so eine Geschichte traut sich keiner auszudenken, weil er denkt, daß ihm das eh keiner abnimmt. Das war wirklich *der* Hammer...

Also.

Ich fahr da also diese Straße entlang, hör so 'n bißchen Radio und denk an nichts Böses, und auf einmal steht vor mir dieser Polizeiwagen mit zwei Polizisten. Ich denk, was soll *das* denn, völlig leere Straße, kein Auto sonst weit und breit, was soll *das* denn, und da winkt auch schon der eine mit einer Kelle, also denk ich, Ha-rald, denk ich, halt mal lieber an, obwohl ich nicht denken konnte, was der wollte, halte also an, na klar, was willste auch machen? Wenn die Polizei winkt, hältste doch an, oder? Ich halt also an und denk mir, Harald, wenn du mal bloß nicht zu schnell gefahren bist oder bei Rot über eine Ampel oder Gott weiß was, obwohl ich mich gar nicht an eine Ampel erinnern konnte.

Der eine Polizist kommt also an mein Fenster und sagt

ganz nett »Guten Tag« und will dann meine Papiere sehen. Also hol ich meine Brieftasche aus der Jacke und geb ihm meine Autopapiere und den Führerschein, und denke noch, Harald, hast du eigentlich noch TÜV und ist die Abgasuntersuchung noch gültig, dabei war ich erst Anfang dieses Jahres beim TÜV. Du denkst in solchen Momenten ja an alles mögliche, was, du rechnest immer mit dem schlimmsten, kannste *Strich fünfzig* durch die Stadt fahren, wenn du ein Polizeiauto siehst, guckste auf den Tacho und denkst, die haben dich geblitzt oder so was. Auf jeden Fall, während der eine Polizist in meinen Papieren blättert, klopft es an der Beifahrerseite. Also beug ich mich rüber, kurble das Fenster runter und sehe den zweiten Polizisten, wie er so dasteht, kurz nickt und mich anlächelt. Ich denk mir noch, was will *der* denn, was soll *das* denn jetzt?

Jedenfalls auf einmal sagt der erste: »Der Wagen ist ja noch fast neu.«

»Ein knappes Jahr«, erwidere ich.

Dann fragt er mich: »Wieviel Kilometer?«

»Keine 30 000«, sage ich.

Der Polizist guckt wieder eine Weile in meinen Führerschein, und dann kommt *der* Hammer: Fragt mich der Polizist, ob ich beim Bund war.

Ich denk, was soll *das* denn jetzt, wieso will der wissen, ob ich beim Bund war, und ich sage: »Ja, ich war beim Bund.«

Und dann fragt der andere, also der, der auf der anderen Seite vom Auto steht: »Jemals Probleme mit der Kühlung?«

Und ich denk, was soll *das* denn, wieso, was, was, was soll *die* Frage denn jetzt, was für eine Kühlung meint der, ist das irgendeine Anspielung darauf, ob ich irgendwelche sexuellen Probleme habe oder was? Ich guck ihn an, und da sagt er: »Das Auto.«

Ach so, denke ich, der meint die Kühlung vom Auto, und ich sage, daß ich keine Probleme mit der Kühlung habe und daß alles in Ordnung ist mit dem Wagen. Stimmt ja auch.

Und dann kommt *der* Hammer. Die beiden gucken sich an, und der eine zeigt auf meine Papiere und sagt: »Hier ist auch alles in Ordnung. Ich denke, er ist prädestiniert für den Job.«

Ich denk noch, was ist denn *jetzt* los, was denn für ein Job? Da sagt der erste, daß ich aussteigen soll. Ich denk mir, was willste machen, also steig ich aus. Der Polizist legt mir einen Arm um die Schulter und führt mich zum Polizeiwagen. Ich geh also los mit ihm und dreh mich noch mal kurz um und seh, wie der andere in mein Auto steigt, und ich denk noch, was will der denn jetzt in meinem Auto, was soll *das* denn jetzt?

Und dann kommt *der* Hammer. Als wir bei dem Polizeiauto sind, sagt der erste: »Es geht um einen Spezialauftrag. Wir haben Sie ausgesucht, weil wir glauben, daß Sie der beste Mann dafür sind.«

Ich denk, ich fall um, was soll *das* denn jetzt, was denn für ein Spezialauftrag?

Und dann kommt *der* Hammer. Der Polizist holt einen Packen Geld aus der Tasche und sagt: »Das sind zehntausend Mark. Die Regierung zählt auf Sie.«

Buff.

Ich guck den Polizisten an und denk, was ist denn *jetzt* los. Da hör ich hinter mir, wie der Motor von meinem Auto anspringt. Ich dreh mich um, und da sitzt der andere Polizist und hält einen Daumen aus dem Fenster. Und dann kommt *der* Hammer. Der erste Polizist nimmt zwei Briefumschläge aus der Tasche und gibt sie mir und sagt, daß das zwei wichtige Depeschen sind, die unbedingt an einen Mittelsmann im Kanzleramt überbracht werden müssen. Und sagt, daß ich mich in den Polizeiwagen setzen soll und mich mit der Technik darin vertraut machen soll. Ich denk, das *gibt's* doch gar nicht, fährste nichtsahnend durch die Gegend, und auf einmal biste hier so 'ne Art Agent, oder wie soll ich das nennen? Ich denk, Wahnsinn, Harald, ist ja wie im Film. Und der Polizist sagt, das Geld ist sozusagen mein Honorar.

Franz Schneider   Allmählich fangen diese beiden Clowns an, mich zu amüsieren. Hätte ich hier keinen Job zu erledigen, würde ich mich an die Straße stellen und ihnen applaudieren. Da gibt's doch diesen Film, wo ein junges Pärchen durch Amerika fährt und von der Polizei verfolgt wird. Das Pärchen ist auf der Suche nach seinem Kind, das zur Adoption freigegeben worden ist, und die Geschichte bekommt so eine komische Eigendynamik. Am Ende stehen die Menschen am Straßenrand und wünschen den beiden alles Gute. Aber die Geschichte geht nicht gut aus. Der Mann wird erschossen. Pengpeng! Zwei, drei gezielte Schüsse in die Rübe, und der Spuk ist vorbei! So wird das gemacht in Amerika! Da wird nicht lange gefackelt!

Chrm. 'tschuldigung.

Möchte wissen, auf was für eine Idee die beiden als nächstes kommen.

Ich saß mit dem Team über einer Landkarte, die Keller gerade mit einem schwarzen Edding bekleckerte. Er malte einen großen Kreis um das Hotel und sagte: »Viel weiter können sie noch nicht gekommen sein. Und der Polizeiwagen ist auch nicht gerade die beste Tarnung.«

Ich sage zu Franken, daß er eine Ringfahndung einleiten soll, und zu Keller: »Und wir zwei schnappen uns einen Hubi und flattern in das Gebiet.«

Keller schaut irritiert und sagt: »Heli.«

Ich verstehe wieder kein Wort, und Keller sagt: »Die offizielle Abkürzung für Hubschrauber ist Heli.«

Ich gucke Keller an und sage: »DIMS.«

Keller guckt blöd, und ich sage: »Das ist die offizielle Abkürzung für ›Das ist mir scheißegal‹.« Manchmal macht der Karl mich wahnsinnig.

Harald Rowitz   Und dann kommt *der* Hammer überhaupt! Der absolute Wahnsinn. Ich bin also auf dem Weg nach Bonn, und auf einmal fängt der Wagen an zu qualmen, da kommt so dicker Qualm aus der Motorhaube. Ich denk noch, Harald, denk ich, das ist kein gutes Zeichen, gar kein gutes Zeichen, halt mal lieber, und ich denk noch, daß das ausgerechnet *jetzt* passieren muß, wo ich es doch so eilig hab. Ich halt also den Wagen an und steh auf so 'ner Brücke, mach die Motorhaube auf, und da kommt mir noch mehr Qualm entgegen, und ich denk, was machste denn jetzt, ich hab ja überhaupt keine Ahnung von Autos, ich kann gerade mal tanken und Luft in die Reifen lassen, aber in den Motor guck ich wie ein Schwein ins Uhrwerk, also denk ich, was machste denn jetzt, sollste den ADAC anrufen oder was? Aber wie sieht das denn aus? Biste mit 'nem Polizeiwagen unterwegs und rufst den ADAC an? Ich kann denen doch nichts von dem Geheimauftrag erzählen. Und ich steh noch da und guck in den Motor und denk nach, da kommt auf einmal unter der Brücke ein Hubschrauber hoch, WUSCH! Also den hab ich überhaupt nicht gesehen, der kam wie aus dem Nichts, und ich denk, was ist denn *jetzt* los. Der Hubschrauber landet auf der Brücke, und dann kommt *der* Hammer, da springen zwei Männer raus, und einer der beiden rennt auf mich zu und schreit: »Legen Sie die Hände auf den Hinterkopf und treten Sie vom Wagen zurück.«

Und ich bin total überrascht, und mir fällt gar nichts ein, und ich sage deshalb bloß: »Was?«

Und der Mann sagt: »Hände an den Hinterkopf. Ich bin Polizist.«

»Ich auch«, sag ich, was ja irgendwie auch stimmt, immerhin bin ich mit einem Geheimauftrag unterwegs. Und ich frag den Mann: »Können Sie mir helfen? Ich hab ein kleines Problem mit dem Kühler. Der Motor ist total überhitzt.«

Der Polizist sagt, daß er nichts von Autos verstehe und daß ich ihm meinen Dienstausweis zeigen soll.

Ich denk mir noch, Mist, du hast ja gar keinen Dienstausweis, aber ich hab doch die Depeschen, und also sage ich zu dem Polizisten: »Ich bin Sonderbeauftragter des Innenministeriums. Ich bringe zwei wichtige Depeschen ins Kanzleramt. Vielleicht könnte ich Ihren Hubschrauber benutzen?«

Inzwischen ist der zweite Polizist da, und der sagt, daß er meine Vollmacht sehen will. Oder wenigstens die Depeschen.

Also geh ich zum Auto, hol die beiden Briefumschläge und geb sie ihm, während der andere die ganze Zeit mit der Pistole auf mich zielt. Und ich denk mir noch, Harald, denk ich, die ganze Sache läuft irgendwie anders, als du dir das vorgestellt hast.

Franz Schneider   Dieser Schwachkopf gibt mir also zwei Briefumschläge, auf die mit Filzstift ›Depesche‹ geschrieben ist. Ich reiße den ersten Umschlag auf und hole einen Zettel heraus, auf den ein Strichmännchen gepinselt ist, das eine Faust vorhält. Ich nehme den zweiten Umschlag, reiße ihn auf und nehme einen Zettel heraus. Wieder das Strichmännchen – nur daß jetzt aus der Faust der Mittelfinger guckt.

Tja... was gucken Sie so? Soll mich das jetzt erschüttern? Soll ich mich jetzt aufregen? ICH DENKE JA GAR NICHT DARAN. Ich habe mich schon genug aufgeregt. Wer sich aufregt, bekommt bloß Magengeschwüre. Ich rege mich nicht mehr auf.

Nachdem ich die Umschläge geöffnet habe, guckt mich dieser Schwachkopf an und sagt: »Alles klar, Kollege?« *Kollege!*

Keller sagt: »Alles klar. Sie können unseren Hubschrauber benutzen.« Dann packt er den Schwachkopf, drückt ihn gegen den Wagen und legt ihm Handschellen an.

Wir klettern rein, und ich frage den Piloten, ob er auf dem Rückflug bei einer Apotheke landen kann, damit ich mir eine Turnierpackung Aspirin holen kann.

Martin   Wir fuhren in die nächste Stadt, um unsere Uniformen gegen unauffälligere Klamotten einzutauschen. Die Uniformen haben wir dann in einer Boutique auf ein paar Kleiderbügel gehängt. Insofern würde es mich nicht wundern, wenn demnächst zwei Typen mit Polizeiuniformen durch die Gegend liefen, wahrscheinlich lösten wir damit sogar einen neuen Modetrend aus. Ja, ja, ich weiß schon, ich werde albern.

Wir spazierten die Straße entlang und waren plötzlich am Meer. Im Schaufenster eines Reisebüros hing ein riesiges Plakat mit Palmen, Sandstrand, Meer und einem Sonnenuntergang. Aus kleinen Lautsprecherboxen, die unauffällig in den Ecken des Fensters hingen, war sogar das Rauschen des Meeres zu hören. Wir standen da und starrten auf das Plakat. Na gut, das Bild sah ein bißchen kitschig aus, aber ich meine, eigentlich ist doch das ganze Leben ein einziger Kitschladen, oder?

Ich weiß nur noch, daß ich danach in meine Anzugtasche gefaßt und das Röhrchen mit den Tabletten gesucht habe, weil ich merkte, daß der Lastwagen wieder im Anrollen war. Ich habe das Röhrchen herausgezogen, mit dem Daumen den Deckel aufgeschnippt.

Das Röhrchen war leer. Im nächsten Moment war der Laster über mir.

Rudi   Ich wachte erst wieder aus meinen Tagträumen auf, als Martin mit seinem Kopf gegen die Scheibe knallte. Er sackte auf den Boden, doch bevor er mit dem Kopf auf den Asphalt knallte, bekam ich ihn zu fassen und legte ihn vorsichtig hin. Ich nahm ihm das Röhrchen aus den Fingern, es war leer. Verdammte...

Ich blickte die Straße hinab und sah ein paar hundert Meter weiter das Zeichen einer Apotheke.

Ich legte Martins Kopf auf den Boden und raste los.

Michael Becker, Apotheker   Es war am frühen Nachmittag, kurz nach der Mittagspause, als ich den Laden wieder geöffnet hatte, und ich bediente gerade die alte Frau Franzen, als dieser Mann... wie hat er geheißen? Wurlitzer, genau... also, als dieser Wurlitzer in meinen Laden stürmte und das leere Tablettenröhrchen auf die Theke knallte und atemlos rief: »Haben Sie das?«

So Kunden hab ich ja gerne, aber was sollte ich machen? Ich bat Frau Franzen kurz um Entschuldigung und nahm das Röhrchen. Ein starkes, durchblutungsförderndes Mittel, das es nur auf Rezept gibt. Das sagte ich dem Mann natürlich auch. Der wurde gleich pampig, meinte, ich solle keinen Quatsch reden, und sagte, daß es um Leben und Tod ginge und daß er mir jeden Preis zahlen werde. Ich sagte, ich könne ihm das Medikament beim besten Willen nicht geben. Es gebe schließlich Gesetze.

Aber der Mann hörte mir gar nicht mehr zu und stürmte aus dem Laden und ließ sogar das Röhrchen liegen.

Also wandte ich mich wieder Frau Franzen zu. Sie nahm den merkwürdigen Auftritt zum Anlaß, sich wieder einmal über den Streß auszulassen, den sich die jungen Leute von heute machten. Zu ihrer Zeit hätte es schon das Wort gar nicht gegeben – Streß.

Im gleichen Augenblick ging die Tür wieder auf.

Käthe Franzen   Also, das glaubt man nicht, was mir passiert ist, das glaubt man nicht, auf meine alten Tage werde ich noch Zeugin eines Überfalles. Es war kurz nach drei Uhr, ich mußte in die Apotheke, weil ich meine Tabletten brauchte, im Alter geht's ja dann doch nicht mehr so wie früher, also eigentlich kann ich gar nicht klagen, mir geht's eigentlich gut, verglichen mit manchen anderen alten Freundinnen, die ich kenne, aber seit ein paar Jahren hab ich es schlimm im Rücken, ich hab mein ganzes Leben in einer Bäckerei gearbeitet und den ganzen Tag Sachen hin- und hergeschleppt, aber sonst geht's mir gut, manchmal bekomme ich schlecht Luft, aber meine Kinder sagen immer, wenn sie mich besuchen, wenn sie mal so alt sind wie ich und noch so gut beieinander sind, dann könnten sie zufrieden sein, und mein Schwiegersohn sagt immer, ich würde sie alle überleben, insofern geht's mir eigentlich gut, bis auf den Rücken eben und daß ich manchmal schlecht Luft kriege...

Michael Becker   Die Tür geht auf, und der Mann kommt wieder rein – und hat eine Pistole in der Hand oder einen Revolver oder so was, ich habe mich schon oft gefragt, ob es da eigentlich einen Unterschied gibt? Jedenfalls steht er also im Laden, hält die Waffe in die Luft, sagt kein Wort – und schießt! Schießt einfach drauflos! Himmel, war das ein Knall, ich habe noch nie in Wirklichkeit einen Pistolenschuß gehört, wo denn auch? Der Schuß geht in eine Schublade hinter mir. Ich hab mir natürlich gleich das Röhrchen geschnappt, bin losgegangen und hab ihm ein neues Röhrchen gebracht. Er schnappt es mir aus den Fingern, und weg ist er.

Sie können sich ja wohl denken, was ich dann gemacht habe.

Rudi   Als ich zum zweiten Mal in der Apotheke war, hab ich kein Wort gesagt, ich hab einen Schuß abgefeuert, und eine halbe Sekunde später hatte ich ein neues Röhrchen Tabletten in der Hand. Ich konnte nichts sagen. Himmel, ich hatte viel zuviel Angst. Nicht vor dem Apotheker oder davor, daß er die Polizei rufen könnte. Ich hatte Angst um Martin. Als ich zurückgelaufen war, um die Pistole zu holen, lag er da so gekrümmt auf dem Boden, und sein Gesicht sah aus ... überhaupt nicht mehr wie ein menschliches Gesicht, völlig verzerrt, und ich dachte, der stirbt dir gleich unter den Fingern weg.

Mir blieb nicht viel Zeit, mir war klar, daß der Apotheker sofort die Polizei anrufen würde.

Ich rannte die Straße hinunter zu Martin. Ein jüngerer Mann stand bei ihm und sagte irgendwas. Als ich hinzukam, fragte er, ob er irgendwie helfen könne, ob er einen Krankenwagen rufen solle. Ich verneinte und sagte, mein Freund brauche nur dringend ein Medikament. Der Mann fragte mich, ob ich sicher sei. Ich kniete bereits neben Martin und fummelte eine Tablette aus dem Röhrchen, ich blickte den Mann bloß von unten herauf an, und er sagte sauer: »Schon gut, schon gut, entschuldigen Sie, daß ich Ihnen meine Hilfe angeboten habe«, und ging weiter. Krankenwagen rufen! Das wär's noch gewesen.

Martin war schweißüberströmt, aber er zitterte kaum noch. Ich wußte nicht, ob das ein gutes oder ein schlechtes Zeichen war, ich deutete es als schlechtes Zeichen. Ich nahm Martins Kopf in meine Hände, hob ihn ein Stückchen hoch und schob ihm eine Tablette in den Mund. Martin schluckte sie. Wenigstens das kann er noch, dachte ich. Dann spürte ich, wie wieder etwas Leben in ihn kam. Nach einer Weile – ich weiß nicht, nach ein paar Sekunden? Nach ein paar Stunden? – blickte er mich an und versuchte ein Lächeln, aber es gelang ihm nicht besonders überzeugend. Wir saßen eine Weile da, und ich merkte, wie Martin mehr und mehr zu Kräften kam.

Ich blickte die Straße hinab zu der Apotheke.

Ein Polizeiwagen fuhr vor, der Apotheker kam herausgestürzt, redete kurz mit den Polizisten, blickte dann erst in die entgegengesetzte Richtung und schließlich in unsere. Ich glaube, in seinem Gesicht die Überraschung darüber gesehen zu haben, daß ich immer noch in der Nähe war. Er zeigte auf uns, die Polizisten folgten seinem Finger, dann setzten sie sich in ihr Auto und rollten auf uns zu.

Ich beugte mich zu Martin hinab und sagte: »Komm! Komm, wir müssen weg hier!« Ich griff ihm unter die Schultern und zog ihn hoch, Martin ächzte, aber es gelang mir, ihn auf die Beine zu stellen. Wir liefen los, wenn man das überhaupt laufen nennen konnte, es war wohl mehr so, daß ich vorstolperte und Martin hinter mir herschleifte. Wir bogen in die nächste Seitenstraße ein.

Dann kam der Moment, in dem ich *mich* für ein ausgemachtes Riesenarschloch hielt.

Nach ein paar Metern fiel mir das Tablettenröhrchen wieder ein.

Ich griff in meine Jackentaschen, dann in meine Hosentaschen, ich fragte Martin, ob er das Röhrchen habe, aber er blickte mich nur mit müden Augen an.

Verflucht, ich hatte es auf dem Boden liegenlassen.

Martin Schmerzen, Schmerzen, ich fühlte bloß Schmerzen, als Rudi mich hochzog und die Straße entlangschleifte. Ich habe keine Ahnung, wie lange ich auf dem Gehweg lag, zehn Sekunden, zehn Tage, keine Ahnung. Ich war drauf und dran, Rudi zu sagen, daß er mich loslassen und alleine abhauen solle, aber dann fiel mir ein, daß *ich* es schließlich war, der *ihn* entführt hatte. Ich hatte keine Lust mehr, mir tat alles weh.

Rudi   Hatte ich im Ernst geglaubt, daß wir zu Fuß vor dem Polizeiwagen hätten flüchten können? Eigentlich hätte mir von Anfang an klar sein müssen, daß wir keine Chance hatten zu entkommen. Nachdem wir in der Seitenstraße vielleicht zwanzig Meter gelaufen, gehumpelt, gestolpert waren, drehte ich mich um und sah den Wagen um die Ecke biegen. Ich verdrückte mich mit Martin in den erstbesten Laden und hoffte, daß Martin möglichst bald wieder wenigstens so weit bei Kräften war, um seine Rolle als Geiselnehmer überzeugend weiterspielen zu können.

Wir landeten in einem türkischen Imbiß.

Franz Schneider   Ich hatte Kopfschmerzen. Seit dem Morgen brummte mir der Schädel, ich brauchte eine Aspirin. Ich sag Ihnen, ich hatte die Schnauze gestrichen voll von diesem Brest und seiner Geisel, von dem ganzen Fall hatte ich die Schnauze voll.

Ich saß in meinem Büro und schaute zu, wie sich die Tablette in dem Wasserglas gemächlich auflöste.

Ich wartete darauf, daß die Tür wieder aufgerissen wurde und Keller mit einer Neuigkeit hereinstürzte.

Dann geht die Tür auf, und Keller steht in meinem Büro. Ich müsse mir da unbedingt etwas ansehen.

Ich will mir nichts ansehen, ich will meine Aspirin trinken und meine Ruhe haben. KANN ICH DENN NICHT EINMAL FÜNF MINUTEN MEINE RUHE HABEN?! Aber ich rege mich ja nicht mehr auf.

Ich nehme meinen Aspirin-Drink und folge Keller in den Konferenzraum. Drinnen sitzen vier, fünf Kollegen und schauen gebannt auf den Fernseher. Auf dem Bildschirm steht der Grund für meine Kopfschmerzen vor einem türkischen Imbiß und hält dem anderen Grund für meine Kopfschmerzen eine Pistole an den Kopf. Brest brüllt in die Kamera, daß er bereits vor der Himmelstür stehe (was vor der Tür des Imbisses besonders lustig aussieht) und nichts mehr zu verlieren habe und daß er den Typen abknalle und daß er das verspreche und daß die Polizisten sich verpissen sollten. Dann schießt er in die Luft. Ich warte darauf, daß vor ihm ein Vogel auf den Boden fällt.

Ich trinke mein Glas in einem Zug leer und blicke in die Runde. Einer der Kollegen macht sich Notizen, möchte wissen, was er sich aufschreibt, schreibt er überhaupt was? Wahrscheinlich malt er nackte Frauen.

Na, jedenfalls hatten die Kollegen diesen Brest jetzt an den Eiern. Aus dem Laden kam er nicht mehr raus, so viel war sicher. Fragte sich nur, wie wir ihm die Geisel aus den Klauen reißen sollten.

Brest schrie noch eine Weile rum, stellte ein Ultimatum von einer Stunde, ohne allerdings seine genauen Bedingungen mitzuteilen, und kündigte für den Fall der Nichteinhaltung zum wiederholten Male an, Wurlitzer in den Kopf zu schießen.

Dann stoppte die Aufzeichnung, und eine Reporterin erschien. Sie erzählte uns, daß sich Brest mit seiner Geisel wieder in den Laden zurückgezogen habe – gleiches habe auch die Polizei gemacht, allerdings hat sie sich nicht in den Laden zurückgezogen, haha, Entschuldigung, aber ich bin heute ein bißchen zynisch drauf.

Ich frage die Kollegen, warum wir das aus dem Fernseher erfahren müssen?

Keller sagt, die örtlichen Kollegen hätten uns nicht informiert.

Stimmt, wie naiv von mir. Wie kann ich von den Kollegen erwarten, daß sie der Einsatzgruppe, die seit zwei Tagen mit dem Fall beschäftigt ist, Bescheid sagt? WIE KANN ICH DAS DENN AUCH ERWARTEN!

Wo sind meine Aspirin?

Frankie   Na wunderbar, jetzt bringen sie es auch noch im Fernsehen. Henk und Abdul stehen hinter mir, und wahrscheinlich erwarten sie jeden Moment, daß ich ihnen die Eier abbeiße. Die Tante in der Glotze erzählt, daß die beiden Irren aus dem Krankenhaus eine Bank überfallen und dabei 80 000 Mark erbeutet hätten. Hat die 'ne Ahnung! 80 000, das ist ja wohl ein Witz! 80 000 plus der Million, die sie *mir* geklaut haben, so wird ein Schuh draus! Der Typ, dieser Brest, wedelte auch noch frech mit meinem Koffer in die Kamera.

Na ja, immerhin wußten wir jetzt, wo wir die beiden zu suchen hatten. Ich sagte Henk und Abdul, daß sie sich Carlos und die Rodriguez-Brüder schnappen und meinen Koffer zurückbringen sollten.

Abdul   Waren gar nicht Bullen, die uns Auto zurückgegeben haben, waren die zwei Wichser aus Krankenhaus. Gibt keine ehrliche Menschen in Europa.

Hab ich ganze Zeit, während Glotze lief, meine Eier festgehalten.

Agnes Dierks, Journalistin   Was Besseres kann dir als junger Journalistin gar nicht passieren. Ich wußte gleich, daß das die Chance meines Lebens werden konnte. Ich war noch nicht besonders lange beim Sender, und ich wäre wohl auch gar nicht zum Einsatz gekommen, wenn nicht die halbe Redaktion in Urlaub gewesen wäre.

Wir waren die ersten, die vor Ort waren, und wir gingen gleich live auf Sendung. Der Geiselnehmer hatte den Polizisten gedroht, die Geisel zu erschießen, wenn sich die Polizei nicht zurückzöge, um sich dann mit seiner Geisel in einer Imbißbude zu verschanzen. Die Polizisten zogen sich natürlich nur ein paar Meter zurück und sperrten die Straße von beiden Seiten ab. Dauernd trafen weitere Polizeiwagen am Tatort ein, überall rannten Polizisten herum, selbst auf dem Dach des Hauses, in dem der Imbiß-Laden war, waren sie bereits auszumachen. Ich hoffte bloß, daß die Konkurrenz noch nicht da war, wenn der Startschuß zum großen Finale fiel.

Rudi   Toll, jetzt standen wir in diesem blöden Imbiß. Und was jetzt? Martin hatte wieder mal eine Show abgezogen und sogar ein paarmal in die Luft geballert (wenigstens ging es ihm wieder besser), aber würde das reichen? Ich konnte mir nicht vorstellen, daß er die Polizisten so sehr eingeschüchtert hatte, daß sie ihre Sachen einpacken und abhauen würden, bei aller Naivität, die ich vielleicht manchmal an den Tag lege, aber *so* naiv bin selbst ich nicht.

Ich stand am Fenster und starrte auf die Straße. Kein Mensch war zu sehen, bloß das Fernsehteam, das in einiger Entfernung zugange war, eine Reporterin schwafelte unaufhörlich irgend etwas in die Kamera.

Ich drehte mich um.

Martin saß seelenruhig an einem der Tische und mampfte einen Döner. Der hat vielleicht Nerven. Ich warf einen Blick auf den Türken, der hinter dem Tresen stand. Er sah nicht besonders ängstlich aus, aber auch nicht besonders glücklich. Er stand einfach da und beobachtete uns.

Ich ging zu Martin und sagte: »Da ist kein Mensch mehr auf der Straße zu sehen, da ist niemand mehr, die Straße ist völlig leergefegt, bloß noch die Typen vom Fernsehen sind da.«

»Na, ist doch schön«, murmelte Martin mit vollem Mund.

Ich ging wieder ans Fenster. Auf der anderen Straßenseite bewegte sich hinter einem Fenster eine Gardine.

Scharfschützen!

Na klar, Scharfschützen. Darum war die Straße plötzlich so verlassen. Die hatten in jedem Haus Scharfschützen postiert. Wahrscheinlich zielten in diesem Moment schon hundert Gewehrläufe auf unsere Köpfe, wahrscheinlich flüsterten sie schon in ihre Mikrofone: *Hab ihn drin. Ich hab ihn auch. Dito. Hab ihn.* Und wahrscheinlich gab der Einsatzleiter jeden Moment das Kommando, uns abzuknallen. Wie nennt man das denn? Finaler Rettungsschuß oder so, nicht wahr?

Und was macht Martin? Sagt, ich solle mich setzen und was essen. WAS ESSEN! Der spinnt, der spinnt total, wahrscheinlich haben seine permanenten Anfälle inzwischen sein Gehirn vernebelt. Wie denkt der sich das? *Haben Sie noch einen letzten Wunsch, Herr Wurlitzer? – Ja, ich würde noch gerne einen Döner essen. – Gerne, nehmen Sie Platz. Ach, und bleiben Sie bitte möglichst ruhig sitzen, damit wir Sie besser treffen können. – Ist gut, Herr Kommissar, vielen Dank auch. – Rattattattattattatta!*

Martin   Rudi sprang durch den Laden wie ein angestochenes Ferkel. Mann, die Coolness, die er noch vor ein paar Stunden im Hotel hatte, war völlig dahin. Faselte dauernd von Scharfschützen. Mir war das in dem Moment scheißegal, ich weiß, das klingt jetzt obercool, aber es war wirklich so. Ich war bloß froh, daß die Schmerzen ein bißchen nachgelassen hatten, und ich genehmigte mir einen Döner, ich brauchte eine kleine Stärkung. Und ich muß sagen, es war einer der besten Döner, den ich je in meinem Leben gegessen hatte, ehrlich.

Ich sagte Rudi, er solle auch was essen, aber er dachte natürlich nicht daran und nannte mich statt dessen einen Spinner. Also, ich meine, daß er ein bißchen nervös war ... schön und gut, aber er mußte mich schließlich nicht gleich beleidigen, dafür gab es wirklich keinen Anlaß, immerhin hatte er mich bis hierher geschleppt, er hätte doch auch auf den Polizeiwagen warten können, *er* wäre doch fein aus der Sache rausgekommen... na gut, das ist jetzt wahrscheinlich unfair ihm gegenüber.

Rudi sprang zwischen dem Fenster und mir hin und her und gab den Diplom-Hektologen. Schließlich reichte es mir, ich stand auf und ging auf ihn zu, du lieber Himmel, er war schweißnaß.

Er schrie mich an: »Jetzt guck dir an, was wir davon haben, die machen uns fertig, dich und mich, ich sag dir, die machen uns knallhart fertig, die knallen uns ab, das geht ratz, fatz, peng, peng, jeder kriegt einen gezielten Schuß in die Rübe, und das war's dann gewesen...«

Ich gab ihm eine Ohrfeige.

Es war, als hätte ich ihm die Stromzufuhr abgeschaltet. Er stand bloß noch da und glotzte mich an. Ich hoffte, er würde nicht anfangen zu heulen. Ich nahm seinen Arm und zog ihn ans Fenster. »Kannst du auch nur *einen einzigen* Bullen auf der Straße sehen!?«

»Nee«, sagte er kleinlaut.

»Na also!« Ich ging an meinen Tisch zurück. »Und außerdem ballern die nicht wild herum, wenn sie damit das Leben einer Geisel in Gefahr bringen!«

Aber ich war selbst nicht überzeugt von dem, was ich sagte. Ich hielt die Polizei nicht für so kooperativ, daß sie sich gleich in ihre Löcher verkriecht, wenn einer ein bißchen in die Lüfte schoß. Ich ging davon aus, daß die Bullen in irgendeiner Seitenstraße hockten und darauf warteten, daß wir mürbe wurden. Außerdem hingen die Fernsehfritzen noch da draußen rum.

Immerhin hatten wir hier genug zu essen.

Rudi   Er hat mich geschlagen! Martin hat mich ins Gesicht geschlagen!

Dann zog er mich ans Fenster und zeigte auf die Straße: »Die Bullen sind abgezogen.«

Ich blieb skeptisch. »Warum ist dann das Fernsehteam noch da?« wollte ich wissen.

»Weil die eine Umfrage für die Abendnachrichten zur geplanten Steuerreform machen. Nun komm schon, setz dich hin und iß was, sonst wird alles kalt.«

Wir gingen an den Tisch, der Türke brachte mir einen Döner und Martin einen zweiten.

Der Döner schmeckte ausgezeichnet. Wirklich, es war der beste Döner, den ich je gegessen hatte. Saftig, mit viel Fleisch und Salat, das Brot knusprig, und die Soße war einfach einmalig. Ich drehte mich zu dem Türken um und sagte: »Mann, das ist wirklich ein erstklassiger Döner, da ist doch irgendwas Besonderes drin, was ist denn da drin?« Der Türke lächelte bloß geschmeichelt und sagte: »Geheimnis des Hauses.«

Ich drehte mich zu Martin und fragte ihn leise: »Meinst du, ich kann eine Cola haben? Oder eine Limo oder irgendwas anderes zu trinken?« Martin verzog wieder nur blöd die Miene.

11.

Ich wußte nicht,
was Mais für einen Lärm machen kann

Franz Schneider   Psychologen! Bei Psychologen vergeht mir ja schon alles, aber ehrlich. Die können dir alles erklären, aber wirklich alles, die können dir bloß nicht sagen, was du *machen* sollst. Der einzige Tip, den sie parat haben, heißt: *Reden Sie mit den Verbrechern, gewinnen Sie ihr Vertrauen.*

Wirklich eine große Hilfe. Ich kann Ihnen sagen, wie die Welt ausähe, wenn wir uns alle an die Psychologentips halten würden: Überall, in jedem Land, in jeder Stadt, in jedem Haus säßen irgendwelche Geiselnehmer mit Geiseln rum und ließen sich vom Pizza-Service beliefern, und vor den Türen hockten Psychologen, die mit ihnen redeten und ihr Vertrauen gewännen – also das Vertrauen der Geiselnehmer, nicht das Vertrauen des Pizza-Services.

Ich saß mit Keller und dem Rest des Teams im Konferenzraum und hörte dem Gesabbel unseres Haus-Psychologen zu, der gerade seinen größten Trumpf aus dem Ärmel gezogen und auf den Tisch geknallt hatte: »Das Stockholm-Syndrom«, hatte er triumphierend gesagt. Er erklärte uns, was wir ohnehin schon wußten, nämlich daß das Stockholm-Syndrom eine Variante der Beziehung zwischen Geisel und Geiselnehmer beschreibe. Während der gemeinsamen Zeit entwickelt sich demnach ein Abhängigkeitsverhältnis, in manchen Fällen sogar eine Art Freundschaft. Trotzdem, meinte unser Psycho-Onkel, dürfe man nicht vergessen, daß der Geiselnehmer, in diesem Fall also Brest, seine Ziele durchzusetzen gewillt sei, wenn nötig auch mit Gewalt.

Ich platzte dazwischen und wollte von ihm wissen, von welchen Zielen er da quatschte. So ein Blödsinn! Dieser Brest hatte bislang keinerlei Forderungen geschweige denn ein Ultimatum gestellt. Er war natürlich gleich eingeschnappt und meinte, die psychologische Begutachtung solle ich doch lieber dem Psychologen überlassen.

Ich sagte ihm, er könne begutachten, wen oder was er wolle, aber ohne mich. Langsam entwickelte sich vor meinem Auge nämlich eine ganz andere Variante. Ich hatte den Eindruck, daß unsere beiden Kandidaten die größte Verarschung des Jahrhunderts hinlegten. Die Polizisten, die sie vor der Apotheke gestellt und bis zum Döner-Laden verfolgt hatten, waren sich sicher, daß dieser Wurlitzer Brest gestützt hatte und nicht umgekehrt. Also frage ich Sie: Warum soll eine Geisel seinen Geiselnehmer beschützen? Doch wohl nur, weil die Geisel gar keine Geisel ist, sondern mit dem vermeintlichen Geiselnehmer gemeinsame Sache macht. Ich weiß, ich weiß, jetzt kommt mir Mr. Psycho wieder mit seinem Stockholm- oder Helsinki- oder Oslo-Mist.

Henk   Wir waren im Tiefflug unterwegs in das Städtchen mit dem Döner-Laden. Wenn alles glatt lief (und davon war bei unserem Glück ja eigentlich *nicht* auszugehen), müßten wir in zwei, zweieinhalb Stunden dasein. Ich hoffte, daß die beiden so lange in dem Laden hocken blieben. Auf dem Rücksitz saßen die Rodriguez-Brüder Eins und Zwei und bauten Waffen zusammen, die jedem Sondereinsatzkommando die Tränen in die Augen getrieben hätten. Im zweiten Auto folgten Carlos und die Rodriguez-Brüder Drei und Vier und dürften sich mit ähnlichen Dingen beschäftigt haben. Eigentlich konnte jetzt wirklich nichts mehr schiefgehen; wo die Rodriguez-

Brüder auftauchen, wächst so schnell kein Gras mehr. – Jetzt *durfte* aber auch nichts mehr schiefgehen, sonst wären Abdul und mir unsere Eier wirklich quitt gewesen, so viel war klar.

Ich sah Frankie schon vor uns stehen: *Habt ihr noch einen letzten Wunsch, bevor ich zubeiße? – Bitte, Frankie, darf ich sie noch mal kratzen?* Ein Scheißgefühl.

Martin   Selbst der Döner konnte Rudi nur für ein paar Minuten beruhigen. Dann stand er schon wieder am Fenster und starrte auf die Straße – allerdings ohne große Neuigkeiten vermelden zu können: »Immer noch kein Mensch zu sehen... außer denen vom Fernsehen.«

Es wurde Zeit für uns zu gehen. Ich zog meine Pistole und sagte: »Auf geht's. Wird Zeit, daß wir hier wegkommen.«

Ich fragte den Türken, was die Döner und die Colas kosteten, aber er winkte ab: »Ist gut. Sie brauchen nichts zu zahlen. Mir reicht die Werbung, die Sie mir gebracht haben.«

Jetzt kehrte auch Rudi von seinem Aussichtsposten zurück und meinte: »Nee, nee, so geht's ja nicht. Das waren Spitzen-Döner, und die werden auch bezahlt.« Er holte aus dem Geldkoffer einen Tausender und legte ihn auf die Theke.

»Ich kann auf tausend Mark nicht rausgeben«, sagte der Türke.

Ich zwinkerte ihm zu: »Stimmt so.«

Dann traten Rudi und ich an die Tür, und Rudi stellte sich vor mir in Geiselposition auf. Wir drehten uns noch mal zu dem Türken um, der dastand und grinste. Ich sagte: »Tschüs«, dann öffnete Rudi die Türe.

Ich rechnete damit, in den nächsten Sekunden von ein paar hundert Kugeln durchsiebt zu werden. Ich hoffte nur, daß sie nicht auch Rudi treffen würden.

Nach einer kleinen Verschnaufpause, für die sich Martin und Rudi fürstlich bedanken ...

... schleppt Martin »Geisel« Rudi vor laufende Fernsehkameras aus dem türkischen Imbiß.

Der Polizeipsychologe (Hark Bohm) erklärt den verblüfften Beamten das Helsinki-Syndrom.

Währenddessen haben Martin und Rudi entschieden, was mit dem Rest des Geldes passieren soll.

Martins Wunsch geht in Erfüllung – er steht mit seiner Mutter (Cornelia Froboess) vor dem Fleetwood Cadillac.

Rudi beobachtet das Wiedersehen von Martin und seiner Mutter.

Rudi   Als ich die Tür öffnete, schloß ich die Augen. Ich erwartete jeden Augenblick, daß irgendwelche Scharfschützen losballern würden. Ich glaube, ich hatte noch nie in meinem Leben so eine Angst gehabt.

Agnes Dierks, Journalistin   Als die Tür vom Imbiß aufging, waren wir natürlich *nicht* auf Sendung. Der Assistent wählte die Nummer vom Sender, der Kameramann schnappte sich seine Kamera und hielt auf mich. Ich fing an zu reden; vielleicht konnte man das Ganze trotzdem noch irgendwie als Live-Geschichte verkaufen. Allerdings mußte die Story dann möglichst bald auf Sendung gehen. Ich hatte so was schon einmal gemacht bei einer Geschichte, die ich exklusiv hatte, damals allerdings mit dreistündiger Verspätung. Die Sache spielte am Bahnhof, blöderweise war im Hintergrund die Uhr ziemlich deutlich im Bild. Dumm gelaufen. Danach habe ich dann den Sender gewechselt.

Rudi   Ein toller Geiselnehmer ist mein Martin, wirklich! Als wir aus dem Imbiß kamen, hielt er mir die Pistole an den Kopf und stieß mir andauernd den Koffer gegen das Bein. Ich fragte ihn, ob er nicht aufpassen könne, und er sagte, *ich* solle den Koffer nehmen. Beides zusammen ginge nicht: »Ich kann dich nicht richtig bedrohen, wenn ich den Koffer auch noch halten muß.«

Ist es zu glauben? *Wenn ich den Koffer auch noch halten muß.* Ich sagte: »Gib schon her ...« und nahm ihm den Koffer aus den Händen. Martin drückte mir die Pistole an den Kopf und umfaßte mich mit der anderen Hand. Ich bat ihn, nicht so feste mit der Pistole zu drücken. Und er solle nicht aus Versehen abdrücken.

Martin   Aus Versehen abdrücken! Der spinnt wohl. Manchmal glaube ich, Rudi hält mich für einen kompletten Idioten.

Franz Schneider   Ich überlegte gerade, ob ich mir eine weitere Aspirin genehmigen sollte, als die Tür aufging und Keller mit Neuigkeiten auftauchte. Er erzählte mir, daß Brest und Wurlitzer in einem Auto, das sie einem Fernsehteam abgenommen hätten, in Richtung holländischer Grenze unterwegs seien.

Ich sagte ihm, daß er den Kollegen vom Lande Bescheid geben solle, unser Duo unauffällig zu verfolgen. Keller nickte und wollte gehen. Er war schon fast durch die Tür, als ich vor meinem geistigen Auge eine Armada von Polizeiwagen mit Blaulicht und Sirene hinter den beiden herfahren sah. Ich rief Keller noch einmal zurück. Keller drehte sich um. »Vergewissern Sie sich, daß denen klar ist, was unauffällig ist.« Keller nickte.

Dann genehmigte ich mir eine weitere Aspirin.

Rudi   Martin saß am Steuer und fuhr aus der Stadt. Wir waren also offensichtlich noch nicht von Scharfschützen erschossen worden.

Das Fernsehteam hatte überhaupt nicht rumlamentiert, als wir sie um einen ihrer Wagen baten. Der Kameramann filmte ununterbrochen weiter, und die Reporterin stellte uns schlaue Fragen im Zehnerpack: »Wie fühlen Sie sich? Wie geht es Ihnen? Werden Sie gut von Ihrem Geiselnehmer behandelt?« – Und zu Martin: »Wie geht es Ihnen? Was haben Sie vor? Wohin fahren Sie? Werden Sie die Geisel erschießen?«

Martin blieb stehen, blickte in die Kamera und sagte: »Erstens: Gut. Zweitens: Weiß ich noch nicht. Drittens: Bloß weg von hier... Und was war noch mal viertens?« Die Reporterin starrte ihn an.

Wir sahen, daß die Polizei auf beiden Seiten die Straße abgeriegelt hatte. Wir setzten uns ins Auto, Martin ließ den Motor an, während draußen die Reporterin aufgeregt in die Kamera quatschte.

»Was passiert, wenn wir jetzt auf die Polizisten zufahren?« fragte ich Martin.

Er blickte mich an. »Ich nehme an, sie werden unsere Autopapiere überprüfen und uns dann freundlich durchwinken.«

Wir fuhren langsam auf die Straßensperre zu, Martin brüllte durch das heruntergelassene Fenster, sie sollten den Weg freimachen, sonst würde er mir den Kopf wegblasen. Ich fand, daß seine Drohung nicht gerade gewichtiger klang, je öfter er sie aussprach. Zu unserer Überraschung räumten die Polizisten die Absperrung beiseite und ließen uns durchfahren. Ich kurbelte mein Fenster herunter und rief: »Mir geht es gut! Er behandelt mich gut!«

Als wir an der Absperrung vorbei waren, guckte Martin mich an und fragte: »Was sollte *das* denn?«

»Ich dachte, das könnte dir Pluspunkte beim Richter bringen.« Ich glückste los.

Er grinste. »Na, vielen Dank. Es ist schön zu sehen, wie besorgt du um mich bist.«

Wir fuhren aus der Stadt heraus.

Ich sagte: »Das gibt's doch nicht, daß die uns so einfach ziehen lassen.«

Martin zuckte mit den Achseln. »Auf ans Meer«, sagte er, als wir das Ortsschild passierten.

Auf dem Rücksitz des Wagens lag ein Straßenatlas. Ich angelte ihn mir und blätterte ein bißchen darin herum.

Nach einer Weile sagte Martin: »Wär auch ein Wunder gewesen.«

Ich sah ihn an, er blickte immer wieder in den Rückspiegel. Ich drehte mich um und sah, daß uns mit einigem Abstand mindestens ein Dutzend Polizeiwagen folgte. »Von wegen, die Bullen haben sich verzogen«, sagte ich zu Martin. »Da hast du den Mist.« Ich blickte wieder nach hinten. »Sind die eigentlich bescheuert? Haben die keine Angst, daß du mich erschießen könntest?«

Martin blickte kurz zu mir rüber und sagte: »Genau. Fühl dich bloß nicht zu sicher. Du weißt, ich habe nichts zu verlieren.«

Martin   Ich überlegte mir, wie wir die Bullen abschütteln konnten. Grob geschätzt waren das mindestens zwanzig Fahrzeuge, die uns da verfolgten. Es verging eine Weile, bis wir auf eine Ampelanlage zufuhren, fünfzig Meter davor blinkte ein gelbes Licht, das Zeichen dafür, daß die Ampel bald auf Rot umspringen würde. Am Straßenrand stand ein Rollstuhlfahrer. Ich verlangsamte das Tempo.

Noch etwa hundert Meter. Die Ampel sprang auf Gelb, noch etwa fünfzig Meter.

Rot.

Ich trat aufs Gas.

Rudi guckte mich entsetzt an. »Na toll, da war Rot! Dafür nehmen sie dir jetzt auch noch den Führerschein ab!«

Ich blickte in den Rückspiegel, dann gab ich Rudi ein Zeichen, daß er nach hinten gucken solle. Er drehte sich um. Hinter uns wurden die Polizeifahrzeuge immer kleiner. Sie standen in einer Viererreihe vor der Ampel und blockierten die Straße in ihrer gesamten Breite. Der Rollstuhlfahrer rollte langsam über den Zebrastreifen.

Ich trat das Gaspedal bis zum Anschlag durch. Viel Zeit würden wir durch die Aktion nicht gewinnen. Ich blickte umher auf der Suche nach einer Abzweigung, an der wir die Polizei endgültig abschütteln könnten. Aber da waren nur Feldwege, und auf denen würden wir kilometerweit zu sehen sein.

Wir fuhren zwischen ein paar Maisfeldern durch, als

ich plötzlich hinter einer Kurve zwei schwarze Limousinen sah, die uns den Weg versperrten.

Ich stieg auf die Bremse, und der Wagen fing an zu schlingern. Er rutschte mit der Beifahrerseite auf die beiden Autos zu und kam vielleicht fünf Meter davor zum Stehen. Ich blickte aus dem Fenster und sah sechs oder sieben schwarzgekleidete Männer hinter den Limousinen stehen.

Rudi   Ich brauchte eine Sekunde, bis ich erkannte, wer uns da gegenüberstand.

Henk   Polizeifunk ist doch was Feines. Nachdem wir hörten, wie sich die Bullen darüber stritten, ob sie an der roten Ampel stehenbleiben oder weiterfahren sollten, wußten wir, daß dies unsere Chance sein würde. Wir stellten die Autos quer über die Fahrbahn. Keine Minute später sahen wir die beiden Herrschaften auch schon antuckern. Der Typ am Steuer stieg in die Eisen, und die Karre blieb ein paar Meter vor uns stehen. Abdul grinste mich an: »Legen, Henk?« fragte er. Ich wollte gerade nicken, als hinter der Kurve die Polizeiwagen auftauchten. Sie bremsten mit quietschenden Reifen ab und blieben etwa zehn Meter von uns entfernt stehen. Die Bullen sprangen aus den Autos und verschanzten sich dahinter. Ich blickte Abdul an: »Du nimmst den Rechten, ich den Linken, und danach sehen wir weiter.«

Abdul glotzte mich verständnislos an. Auch Carlos und die Rodriguez-Brüder wußten nicht so recht, auf wen sie zielen sollten. Sie blickten mich an und zuckten mit den Schultern. Ich zuckte zurück.

SCHEISSE, IMMER BLEIBT ALLES AN MIR HÄNGEN!

Martin   Es war totenstill. Das einzige, was zu hören war, war hier und da das Quäken eines Funkgerätes und das Zwitschern eines Vögeleins.

Polizei und Gangster fühlten sich offenkundig gleichermaßen von der Situation überfordert und waren sich noch nicht darüber einig, auf wen sie zielen sollten. Meinetwegen hätten sie noch eine Weile überlegen können.

Ich legte vorsichtig einen Gang ein und gab einen leisen Ton von mir. Rudi blickte mich an. Ich deutete auf die Waffe, die vor ihm lag.

Er verstand.

Rudi   Ich nahm die Pistole langsam in die rechte Hand und hob sie zum Fenster. Dann flüsterte Martin »Los«, und ich schoß in die Luft. Martin drückte aufs Gas, und wir holperten in das Maisfeld.

Die Schüsse im Hintergrund wurden schnell leiser und schließlich vom Knacken der Maispflanzen übertönt.

Abdul   Konnt ich nix für. Bullen haben angefangen zu schießen, glaub ich. Wir schießen nur zurück. Mann, war tierische Ballerei, und ich denk noch, Frankie wird tierisch sauer, wenn wir Autos total kaputt zurückbringen.

Henk   Es war eine riesige Ballerei. Fast so wie in *Heat* mit Robert De Niro und Al Pacino. Ich hatte mich auf den Boden geworfen. Glassplitter flogen durch die Luft. Aus den Augenwinkeln sah ich rechts von mir Carlos, der aus zwei Uzis gleichzeitig ballerte. Ich blickte unter dem Auto zu den Polizisten und dann wieder zu Carlos. Abdul lag ein paar Meter weiter und hielt sich die Ohren zu. Santos, einer der Rodriguez-Brüder, lag ein paar Meter von Carlos entfernt, ich nehme an, man hätte ihn noch ganz gut als Sieb gebrauchen können. Carlos erinnerte mich jetzt an Rambo. Er stand da, verballerte die Magazine und schrie wie wild. Plötzlich gab es einen Knall, ich blickte unter dem Auto durch und sah, daß einer der Polizeiwagen in die Luft geflogen war. Carlos stieß einen Freudenschrei aus. Ich blickte nach links zu den drei anderen Rodriguez-Brüdern. Franco war ebenfalls schon ausgeschieden, daß es Franco war, wußte ich allerdings nur, weil bloß noch Miguel und Juan hinter dem Wagen hockten und schossen. Ansonsten hätte ich ihn nicht identifizieren können. Himmel, er sah wirklich scheiße aus, er mußte gleich mehrere Schüsse in den Kopf bekommen haben. Ich mußte würgen und blickte wieder zu Abdul. Ich gab ihm ein Zeichen, und wir krochen auf allen vieren rückwärts, bis wir im Maisfeld waren.

Martin   Wieder was dazugelernt. Ich wußte nicht, was Mais für einen Lärm machen kann. Es war ein einziges ohrenbetäubendes Prasseln, als wir durch das Feld fuhren. PRRATTATTATTATTA! Ich hatte keine Ahnung, wo ich lang fuhr. Wenn irgendwo ein Hindernis gewesen wäre, wäre ich gnadenlos draufzugerauscht. Ich sah bloß umknickende Maispflanzen und Maiskolben, die gegen die Windschutzscheibe knallten, ich schaltete die Scheibenwischer an, um wenigstens halbwegs freie Sicht zu bekommen. Rudi kurbelte sein Fenster wieder hoch, damit nicht noch mehr Mais in den Wagen flog.

Anton Kleinfeld, Polizist   Ja, also, das war so. Wir, also mein Kollege und ich, wir fuhren ganz hinten in der Kolonne und waren also auch ganz hinten, als wir zwischen den Maisfeldern zum Stehen kamen. Ich wußte erst gar nicht, warum wir auf einmal alle anhielten. Natürlich habe ich mich sehr erschreckt, als die Schießerei plötzlich losging. Ich wußte ja gar nicht, warum auf einmal geschossen wurde. Dann sah ich gerade noch, wie der Wagen mit dem Geiselnehmer in das Maisfeld fuhr. Nach zwei Minuten gehörte unser Wagen zu den wenigen, die noch fahrtauglich waren. Zusammen mit zwei weiteren Kollegen, deren Wagen ebenfalls noch intakt war, machten wir uns auf die Verfolgung des Geiselnehmers und fuhren in das Maisfeld.

Ich fuhr durch das Feld und sah unsere Kollegen im Rückspiegel hinter uns herfahren. Die Sicht nach hinten war bedeutend besser als nach vorne, wie Sie sich denken können. Man könnte es auch so sagen: Ich sah rein gar nichts. Mein Kollege hielt sich krampfhaft am Armaturenbrett fest. Je länger ich durch dieses Maisfeld fuhr, um so aussichtsloser schien mir das ganze Unterfangen. Wenn wir Glück hatten, bauten wir einen Unfall mit dem Wagen des Geiselnehmers, ansonsten sah ich keine Chance, ihn hier zu finden.

Schließlich bauten wir auch einen Unfall, leider nicht mit dem Wagen des Geiselnehmers. Plötzlich war das Maisfeld zu Ende, etwa zwei Meter unter uns sah ich gerade noch einen Hohlweg. Der Wagen flog fast über den gesamten Hohlweg hinweg und knallte auf der anderen Seite ins Feld. Zwei Sekunden später rasten unsere Kollegen in unser Fahrzeug. Ich gab der Zentrale durch, daß wir die Verfolgung aufgeben mußten.

Später bemerkte ich, daß mir bei dem Unfall meine Uhr kaputtgegangen war.

Henk   Ich kroch mit Abdul durch das Maisfeld. Bloß weg von der Schießerei, und bloß weg von den Bullen, dachte ich. Ich hörte Abdul hinter mir schnaufen. Ich drehte mich zu ihm um und sagte, daß ich besser einen anderen Beruf hätte lernen sollen. Abdul hielt für einen Moment inne und blickte mich an, dann fragte er entgeistert: »Du hast gelernt diese Scheiße?«

Es war sinnlos mit ihm. Ich drehte mich um und kroch weiter.

Wenig später wäre es fast aus gewesen mit uns. Zwei Polizeiwagen schossen vielleicht einen halben Meter an uns vorbei.

Abdul   Europa ist wirklich freies Land. Wußt ich gar nicht, daß Henk richtig gelernt hat, Killer zu sein.

Rudi   Ich weiß nicht wie, aber irgendwie sind wir aus dem Maisfeld herausgekommen. Irgendwann hatte ich einfach die Augen zugemacht und bloß noch auf das Prasseln gehört. Plötzlich spürte ich, wie der Wagen ein Stück heruntersackte, und von einem Moment auf den anderen hörte das Knacken der Maisstauden auf. Der Wagen bremste ab, und ich öffnete die Augen. Wir standen in einem Hohlweg. Martin kurbelte am Lenkrad, dann holperten wir über den Feldweg. Ich blickte nach hinten und sah eine riesige Staubwolke. Ich blickte Martin an, der völlig verschwitzt war, und sagte: »Kein Mensch hinter uns. Glück oder Fügung?«

Martin sah angespannt nach vorne, dann verzerrte sich sein Gesichtsausdruck: »Fügung oder Pech?« sagte er und ging auf die Bremse.

Ich sah ebenfalls wieder nach vorne, wo gerade die Straße verschwand. Wir rutschten auf einen Abhang zu.

Martin   Ich hatte keine Chance. DIE MÜSSEN DOCH ABER AUCH SCHILDER AUFSTELLEN, WENN PLÖTZLICH DIE STRASSE ZU ENDE IST.

Kennen Sie das Gefühl, wenn man merkt, daß man nicht mehr rechtzeitig zum Stehen kommt? Genauso fühlte ich mich, als wir auf den Abhang zurutschten. Ich mußte an den ersten Autounfall denken, den ich gebaut hatte, etwa zwei Monate, nachdem ich den Führerschein bekommen hatte. Das war im Winter, die Straßen waren völlig zugeschneit. Ich schlich mit schätzungsweise fünfzehn Jahreskilometern über den Schnee und sah vor mir eine Kurve. Ich bremste vorsichtig ab, doch der Wagen reagierte überhaupt nicht. Die Reifen blockierten sofort, und ich war viel zu entsetzt, um den Fuß wieder von der Bremse zu nehmen. Der Wagen rutschte auf den Bordstein zu und wurde dabei zwar immer langsamer, aber er blieb nicht stehen. Dann stolperte er den Bordstein hoch und rutschte auf ein kleines, frischgepflanztes Bäumchen zu, immer langsamer, und unausweichlich, ein Unfall in Superzeitlupe. Schließlich machte es ›klock‹, und ich stand vor dem Bäumchen.

Genauso war es jetzt auch, nur mit dem Unterschied, daß ich keine fünfzehn Jahreskilometer fuhr, sondern knappe hundert Stundenkilometer. Ich spürte das merkwürdige Gefühl im Magen, das man hat, wenn man im Schwimmbad vom Zehnmeterbrett springt. Ich hatte den Eindruck, als ob sich der Wagen senkrecht nach unten legte. Es krachte und knirschte, wir überschlugen uns ein paarmal.

Als der Wagen endlich zur Ruhe kam, wunderte ich mich darüber, daß die Sonne plötzlich auf dem Boden lag. Es dauerte eine Weile, bis ich kapierte, daß der Wagen auf dem Dach lag.

Rudi   Ich hab mir vielleicht den Kopf gestoßen, als ich den Gurt gelöst habe. Wir lagen kopfüber in diesem Loch. Martin war bereits aus dem Wrack gekrochen, und ich rechnete damit, daß das Ding jeden Moment explodierte. So passiert's doch immer in Filmen, oder? Martin kam an meine Tür, kniete sich auf den Boden und lugte herein. Ich öffnete die Türe, sie schwang quietschend auf.

»Du mußt dich mit den Händen abstützen, wenn du den Gurt löst«, sagte Martin. Stimmt, ich konnte mich erinnern, so was schon mal auf irgendeiner Veranstaltung gesehen zu haben. Aber natürlich hatte ich keine Ahnung mehr, wie es richtig funktionierte. Ich drückte eine Hand gegen das Dach und löste den Gurt. Dann knallte ich mit dem Kopf nach unten. »Abstützen!« schrie Martin.

Ich quiekte kurz auf und rollte dann aus dem Wagen. Jammernd blieb ich im Staub liegen.

»Abstützen, hab ich doch gesagt«, schrie Martin und fing an zu lachen.

Ich guckte ihn böse an. »SCHREI MICH NICHT AN! UND HÖR AUF ZU LACHEN! LANGSAM HAB ICH DIE SCHNAUZE VOLL VON UNSEREM AUSFLUG ANS MEER!! ICH BIN EIGENTLICH TODKRANK. UND JETZT HAB ICH MIR AUCH NOCH DEN KOPF GESTOSSEN!!!«

Martin guckte mich ein paar Sekunden an, dann fiel er nach hinten in den Sand, wälzte sich hin und her und kriegte sich kaum noch ein vor Lachen. Ich nehme an, es war eine hysterische Überreaktion.

Dann bekam ich auch eine.

Martin   Wir lagen eine Weile in der Kiesgrube und lachten uns halbtot. Dann machten wir uns auf den Weg in die nächste Stadt. Ich hatte auch keine große Lust mehr auf Verfolgungsjagden und wollte die Sache mit dem Banküberfall irgendwie aus der Welt schaffen. Unsere Klamotten sahen aus, als hätten wir fünf Jahre unter einer Brücke gelebt.

Franz Schneider   Als wir mit dem Hubschrauber über dem blauen Autowrack kreisten, das in der Kiesgrube lag, dachte ich, daß der Fall damit wohl abgeschlossen sei. Zwei Streifenwagen kurvten in die Kiesgrube und auf das Auto zu, als wir landeten. Keller sprang aus dem Hubschrauber und lief zu dem Wrack. Er schaute hinein, und er brauchte gar nichts zu sagen. Ich ahnte schon, daß die Karre leer war.

»Die Schweine haben auch noch Glück«, sagte Keller, als er zum Hubschrauber zurückkam.

Ein bißchen *viel* Glück für mein Empfinden. Langsam könnte man auf den Gedanken kommen, daß zwei Todkranke den halben Polizeiapparat im Land an der Nase herumführen können. Ich gab Keller ein paar Anweisungen. Er sollte diesen Landeiern Bescheid sagen, daß ich sofort über jeden Autodiebstahl informiert werden wollte. Sie sollten uns *sofort* über alles Bescheid geben, was sich hier in der Gegend tat.

Martin   Wir latschten eine Weile, bis wir in einen kleinen Ort kamen. Wir fanden ein Taxi, ich setzte Rudi hinein und sagte ihm, er solle hier auf mich warten. Dann machte ich mich auf die Suche nach einem Polizeiwagen. Unterwegs kaufte ich eine Zeitung, um zu sehen, wie der Stand der Ermittlungen war. Ich fragte mich, wo sie das Bild von mir herhatten. Hatten die etwa meine Wohnung durchsucht? Na prima, in was für einem Land leben wir eigentlich?

Ein paar Straßen weiter wurde ich fündig. Der Polizeiwagen stand in einer Seitenstraße, und der Polizist, der darin saß, war offenbar gerade damit beschäftigt, sich für seinen nächsten Einsatz hübsch zu machen. Er blickte in den Rückspiegel und versuchte Ordnung in seine Haare zu bringen, was ein recht langwieriges Unterfangen zu sein schien. Ich ging auf die Beifahrerseite, öffnete die Türe und setzte mich in den Wagen. »Tag, Herr Wachtmeister«, sagte ich. »Sie sind schön genug.«

Werner Eigenbrot, Polizist   Am Abend nach diesem Erlebnis dachte ich zum ersten Mal, daß der Job vielleicht doch nichts für mich ist. Vielleicht hab ich einfach zu schwache Nerven. Auf jeden Fall bin ich fast in Ohnmacht gefallen, als dieser Mann plötzlich eine Pistole zog. Okay, der Reihe nach:

Ich stand mit dem Wagen in einer Seitenstraße, als plötzlich die Beifahrertür aufging und sich dieser Mann neben mich setzt. Ich denke, ich spinne, was ist denn das für ein Heini? Total verdreckter Anzug, er sah aus, als hätte er seit fünf Jahren unter einer Brücke gelebt. Ich sagte ihm, er möge bitte sofort aussteigen, wenn er ein Problem habe, solle er an mein Seitenfenster kommen.

Der Mann guckt mich eine Weile stumm an, dann sagt er: »Das geht leider nicht, Herr Wachtmeister«, und zieht eine Pistole, richtet sie auf mich und sagt: »Dann würde ja jeder sofort meine Pistole sehen.«

Ich hebe instinktiv meine Hände und sage: »Machen Sie keinen Fehler.«

Er sagt: »Wenn *du* keinen Fehler machst. Nimm die Hände wieder runter. Wie sieht das denn aus? Ein Polizist, der mit erhobenen Händen in seinem Auto sitzt?«

Ich nicke und lasse die Hände langsam wieder sinken.

»Kennst du mich?« fragt der Mann.

Ich denke, was ist denn das für eine Frage, woher soll ich dich kennen? Ich schüttele den Kopf. Er gibt mir eine gefaltete Zeitung und sagt: »Schlag mal auf.«

Ich falte die Zeitung auseinander, auf der Titelseite steht eine fette Schlagzeile: »Geiselnahme!« und zwei Fotos, auf einem ist unverkennbar mein Gast. Ich blicke auf das Foto, dann auf den Mann, wieder auf das Foto und nicke langsam. Mir wird klar, daß ein Geiselgangster in meinem Auto sitzt. Ich bekomme es mit der Angst zu tun. Ich meine, hier in dem Ort passiert eigentlich nicht viel, eigentlich passiert kaum was, allenfalls mal eine

Schlägerei in einer Kneipe, wenn einer nicht bezahlen will.

Ich erzähle ihm, daß meine Frau schwanger sei (was auch stimmt).

»Na, das ist doch schön für dich«, sagt der Mann. Dann kramt er mit der freien Hand aus seinem Jackett einen Packen Geld hervor und legt es auf die Ablage. Er erklärt mir, daß dies 80 000 Mark seien, die er einer Bank geklaut habe, ich könne das im übrigen alles in der Zeitung nachlesen. Er greift wieder in sein Jackett und zieht ein weiteres Bündel hervor und sagt, daß sei das Geld, das er bei einem Tankstellenüberfall hat mitgehen lassen.

Und ich habe nicht die geringste Ahnung, worauf das Ganze hinauslaufen sollte. Ich meine, da steigt ein Typ in dein Auto, erzählt, daß er Geiselnehmer sei, und legt dir einen Haufen Geldscheine hin. So eine Geschichte hätte ich doch keinem meiner Kollegen geglaubt.

»Ich möchte, daß du die Knete zurückgibst«, sagt er dann.

Ich nicke. Zurück? An wen?

Der Typ sagt: »Okay, damit dürfte die Angelegenheit mit eurem Verein geklärt sein. Kreuzt jetzt noch irgendein Bulle meinen Weg, lege ich die Geisel um. Sag das deinem Kollegen.«

Ich nicke wieder. Was für eine Geisel? Welche Angelegenheit?

Der Mann öffnet seine Türe und steigt aus dem Auto.

Ich kann Ihnen sagen, ich war völlig fertig. Mir lief der Schweiß nur so von der Stirn. Ich starrte immer wieder auf das Geld, das auf der Ablage lag, und auf die Zeitung.

Wenn Sie jetzt glauben, daß das schon alles war, sind Sie aber schief gewickelt. Plötzlich klopft es an meinem Seitenfenster. Ich fahre herum. Da steht der Gangster schon wieder und gibt mir ein Zeichen, die Scheibe herunterzulassen.

Er guckt mich freundlich an und fragt: »Junge oder Mädchen?«

Ich wußte überhaupt nicht mehr, was los war, und würgte bloß ein »Was?« heraus.

»Na, das Kind, das deine Frau erwartet. Junge oder Mädchen?«

Ich sage: »Keine Ahnung. Der Doktor meinte, er hätte einen kleinen Penis gesehen, aber er war sich nicht sicher.«

Der Mann nickt, dreht sich um und geht.

Wissen Sie, wie lange es gedauert hat, bis meine Kollegen mir die Geschichte geglaubt haben? Eine halbe Stunde habe ich auf sie eingeredet und schließlich bei der Kripo angerufen. Da waren sie dann ziemlich interessiert.

Rudi   Ich saß etwa eine Viertelstunde in dem Taxi und hatte inzwischen ein kleines Schwätzchen mit dem Taxifahrer angefangen. Ein ulkiger Typ, der absolute Kinofreak, kannte jeden Film, der in den vergangenen Jahren gelaufen war. Ich fragte ihn, warum er nicht Regisseur geworden sei, und er sagte, daß er sich das auch jeden Tag frage, während er fremde Leute durch die Stadt kutschiere.

Dann kam Martin, setzte sich zu mir auf den Rücksitz und hob seinen Daumen. »Hast du hier einen guten Preis ausgehandelt?« fragte er mich.

»Klar«, sagte ich, »inklusive der zehn Minuten, die wir auf dich gewartet haben, nur zehntausend Mark.«

»Na, das nenn ich aber preiswert«, sagte Martin und signalisierte dem Fahrer, er könne losfahren.

Torsten John, Taxifahrer   Ich dachte, der macht einen Witz, als er von den zehntausend Mark erzählte. War aber kein Witz. Mann, zehntausend Mark, steuerfrei. Davon könnte ich mir 'ne vernünftige Kamera kaufen.

Martin   Der Taxifahrer fuhr uns erst zu einer Boutique und dann zu einem Autohändler. Es wurde Zeit, den Cadillac für meine Mutter zu kaufen und danach endlich ans Meer zu fahren. Der Verkäufer wußte gleich Bescheid, als ich sagte, ich wolle so einen Cadillac, wie ihn Elvis seiner Mutter geschenkt hatte. Er sagte, daß wir da aber besonderes Glück hätten, und ging mit uns auf den hinteren Teil des Geländes – und da stand er: der Fleetwood. Ich bekam ganz feuchte Augen, als ich ihn sah. Was für eine Kutsche. Ich strich mit den Händen über die Motorhaube und sagte zu Rudi, er solle schon mal das mit dem Geld regeln. Dann setzte ich mich in den Wagen und empfand, in einen Sessel zu versinken. Und *groß* war die Kiste. Ideal für Frischverliebte. In dem Auto brauchte man zum Rumfummeln gar nicht auf die Rückbank zu klettern. Ich spielte ein bißchen mit den Gängen herum, während Rudi draußen dem Verkäufer erklärte, daß das Auto für meine Mutter sei.

Rudi   Ich hatte wieder mal das Gefühl, der einzige zu sein, der keine Ahnung hatte. Martin brauchte dem Verkäufer gar nicht zu erklären, was für einen Cadillac er suche. Er sagte bloß, er wolle so einen Cadillac, wie ihn Elvis seiner Mutter geschenkt hatte, und der Verkäufer wußte Bescheid. Ging mit uns ein paar Autoreihen ab, bis er stolz das Objekt von Martins Begierde präsentierte. Ehrlich gesagt, wie der Wagen so vor mir stand, fand ich, daß er ziemlich protzig aussah. Aber ich mußte ja nicht damit fahren.

Währenddessen nervte der Verkäufer beständig mit seiner Vermutung, uns von irgenwoher zu kennen. Außerdem wollte er den Wagen für uns anmelden, wir könnten ihn am nächsten Tag abholen. Er überschlug sich förmlich vor Freundlichkeit.

Ich legte den Koffer auf die Motorhaube, während Martin bereits in dem Wagen saß und in Gedanken über einen amerikanischen Highway zu fahren schien. Er nahm nichts mehr von dem wahr, was um ihn herum geschah. Wäre in diesem Moment die Polizei gekommen, sie hätte ihn widerstandslos aus dem Auto heben und mitnehmen können. Martin war in einer anderen Welt. Als ich ihn so verträumt in dem Auto sitzen sah, wurde mir erst richtig klar, was es wohl für ihn bedeutete, seiner Mutter schon bald diesen Wunsch erfüllen zu können. Je eher wir hier also wegkamen, um so besser.

Ich drehte mich zu dem Verkäufer und sagte: »Wir sind schnellentschlossene Leute. Wir nehmen ihn gleich mit, ob angemeldet oder nicht, ist uns egal, und ich hoffe, es ist Ihnen auch egal. Am Ende kommt noch einer und schnappt ihn uns weg. Was soll das gute Stück denn kosten?«

»Wegschnappen? Ich bitte Sie. Ein Cadillac ist schließlich kein Käfer. Wer soll Ihnen das Auto denn wegschnappen? Ich würde ihn natürlich reservieren...«

»Was kostet das Auto?«

»Für Sie?«

»Nein, für meinen toten Großvater... Natürlich für mich.«

»Tja...«, der Verkäufer schien zu überlegen, dann platzte er heraus: »Jetzt weiß ich, woher ich Sie kenne...« – ich bekam einen mittelschweren Schreck –, »aus dem Fernsehen. Sie haben eine eigene Fernsehshow!«

Ich atmete aus: »Nein! Aber wir haben es eilig. Also nennen Sie einen Preis.«

Der Mann schien enttäuscht darüber, zögerte noch einen Moment und überlegte, wie hoch er wohl pokern solle, um dann zu dem Ergebnis zu kommen: »Für Sie... 150000?!?!«

Ich zählte das Geld ab und drückte es ihm in die Finger.

Johannes Dante, Autoverkäufer   Na bitte! Hab ich doch die ganze Zeit gewußt, daß ich die beiden von irgendwoher kannte. Erst dachte ich, aus dem Fernsehen, aus irgendeiner Fernsehshow. Als die beiden den Cadillac gekauft hatten – übrigens für 150000 Mark! Als sei das ein Fliegenschiß! Haben nicht mal versucht zu handeln! –, bin ich mit der Kohle in meinen Laden, und als ich auf meinen Schreibtisch guckte, wußte ich wieder, woher mir die Gesichter bekannt vorkamen. Aus der Zeitung, die vor mir lag.

Unter uns: Bevor ich die Polizei angerufen habe, habe ich einen Moment nachgedacht. Ich habe mich gefragt, ob die Polizei mir die 150000 Mark wieder abnehmen und sozusagen als Beweismaterial sicherstellen dürfte.

Aber dann bin ich auf eine tolle Idee gekommen. Wenn die Polizei gefragt hätte, hätte ich einfach gesagt, daß sie den Wagen für 50000 gekauft hätten. Klasse Idee, was?

Die Polizei hat aber gar nicht gefragt.

Jetzt habe ich meinen Laden erst mal für ein paar Tage zugemacht, um ein bißchen Ferien zu machen.

Franz Schneider   Nachdem wir erfahren hatten, daß dieser Brest irgendeinem Dorfpolizisten die ganze geraubte Kohle übergeben hatte, hatte ich innerlich mit dem Fall abgeschlossen. Keine Sekunde zu früh übrigens, denn meine Aspirin gingen zur Neige. Sollte dieser Spinner doch fahren, wohin er wollte – wenn es stimmte, was sie uns im Krankenhaus gesagt hatten, würde sich die ganze Sache innerhalb der kommenden Woche ohnehin sozusagen auf biologischem Wege erledigen.

Und schließlich hatte die wilde Schießerei den nicht unangenehmen Nebeneffekt, daß wir mit dem Rodriguez-Quartett und Carlos Mendoza fünf gesuchte Killer von unseren Fahndungslisten streichen konnten. Das konnten wir den Pressefuzzis ganz gut verkaufen, und wie der

Zugriff zustande kam, interessierte hinterher sowieso niemanden mehr. Allerdings konnten wir auch fünfzehn Polizeifahrzeuge streichen – wie heißt es so schön: Wo gehobelt wird, fallen Späne.

Meine letzte Aspirin tanzte gerade im Wasserglas herum, als Keller mit einem Fax in mein Büro schneite und mir eröffnete, daß er die Adresse von Brests Mutter habe. Dieser Keller wird es noch weit bringen, verdammt ehrgeizig, der Mann.

Ich fragte ihn, was er mit der Adresse wolle, Brest habe die Kohle doch zurückgegeben.

Keller starrte mich an: »Wir können ihn doch nicht so einfach laufen lassen, Chef. Wir kriegen ihn dran wegen Geiselnahme.«

»Und wie sieht das aus, Keller?«

Keller setzte sich auf einen Stuhl und breitete seinen Plan aus: »Ich nehme unsere Jungs mit. Wir postieren uns unauffällig um das Haus der Mutter...« *Unauffällig*, seit dem unauffälligen Einsatz im Maisfeld hatte ich eine leichte Allergie gegen das Wort *unauffällig*. Keller redete weiter: »...und wenn Brest da auftaucht...«, er schlug mit der Faust in die Hand, »...haben wir ihn am Arsch!«

Faszinierende Idee. Nur sah ich nicht so recht den Sinn darin, meine Leute vor dem Haus dieser Frau Mutter auf die Lauer zu legen. Ich fragte Keller, was ihn so sicher mache, daß er mit dem Cadillac bei seiner Mutter vorbeifahren werde.

»Er will ihr den Wagen schenken«, sagte Keller triumphierend.

»...?«

»Na klar, Chef. Elvis hat das auch getan!«

Elvis. Elvis? Wieso Elvis?

»Der Musiker, Chef. Der Rock-'n'-Roll-Star.« Keller begann zu singen: »Aloopbapaloopab, allopbaambumm!«

Mir blieb auch gar nichts erspart.

Glaubte Keller denn wirklich, daß dieser Brest ein solcher Romantiker sei? Romantiker überfallen keine Tankstellen und Banken, und sie entführen auch keine Menschen.

Manfred Keller   Es dauerte seine Zeit, bis ich den Chef davon überzeugt hatte, daß wir die Mutter von Brest observieren sollten. Ich hatte den Eindruck, der Chef hätte Brest am liebsten laufen gelassen und darauf gewartet, daß irgend jemand in ein paar Tagen Brests Leiche findet. Natürlich hielt er mich für grenzenlos naiv, als ich ihm erzählte, daß Brest seiner Mutter höchstwahrscheinlich den Cadillac schenken wolle. Elvis hat das nämlich auch getan.

Endlich bekam ich von Schneider drei Kollegen und den Segen, vor dem Haus von Brests Mutter in Stellung zu gehen.

12.

Wo bist du denn gewesen, Stropp?

Rudi   Bevor wir uns auf den Weg zu Martins Mutter machten, um ihr den Cadillac zu bringen, spielten wir Lottofee. Wir wollten den Rest der Million unters Volk bringen und hatten uns dazu ein Telefonbuch besorgt sowie jede Menge Briefumschläge und Briefmarken. Während ich in jeden Umschlag zehntausend Mark steckte, hielt Martin das Telefonbuch in den Händen und öffnete es immer wieder auf irgendeiner Seite und tippte auf einen Namen. Dann nahm er einen Umschlag und adressierte ihn. Eine kleine finanzielle Unterstützung in diesen wirtschaftlich so schwierigen Zeiten, sozusagen. Ich hoffte nur, daß wir auch diejenigen trafen, die das Geld wirklich gebrauchen konnten, und nicht irgendwelche Alt- oder Neureichen. Auf der Ablage stapelten sich bereits Dutzende von Umschlägen, als mir einfiel, daß wir selbst ja auch noch ein paar Mark gebrauchen könnten.

Martin blickte mich fragend an, als ich einen Umschlag, der noch nicht adressiert war, in meinem Jackett versenkte. »Was soll das denn werden? Willst du noch ein paar Mark gewinnbringend anlegen?« fragte er.

»Den Cadillac für deine Mutter haben wir. Bleiben noch zwei Frauen für mich. Die müßten wir auch irgendwie bezahlen, oder?«

Martin brummte und schlug das Telefonbuch wieder auf.

Es dauerte ungeahnt lange, den Rest der Million zu verteilen; unsere kleine Lotterie währte knapp zwei Stunden, dann machten wir uns auf den Weg zu Martins Mutter.

Manfred Keller   Ich hab's gewußt! Ich hatte recht! Ich bin ein echter Fuchs! Und es ging sogar schneller, als ich dachte. Was ist dieser Brest für ein sentimentaler Schwachkopf, dachte ich, als der Cadillac um die Ecke rollte. Muß kurz vorm Abwinken noch einmal Mami besuchen.

Auf zum Showdown, Mister Brest!

Martin   Wie lange war ich nicht mehr zu Hause gewesen? Acht Jahre? Zehn Jahre?

Mit sechzehn hatte ich das Gymnasium geschmissen und war nicht nur von zu Hause weggezogen, sondern gleich von dem ganzen Kaff. Weg! Bloß weg – das war mit den Jahren mein einziger Gedanke gewesen, und eines Tages hatte ich ihn auch in die Tat umgesetzt. Eine Kurzschlußhandlung möglicherweise, und meinetwegen nicht mehr als der mißglückte Versuch, ein Stückchen Freiheit zu finden. Mein Bruder hatte mir seitdem den Vorwurf gemacht, damit hätte ich meiner Mutter ein nicht wiedergutzumachendes Leid zugefügt. Er hatte das zum Anlaß genommen, demonstrativ jeden Kontakt mit mir abzubrechen – was mich wenig juckte, denn unser Kontakt hatte sich auch vorher schon auf die unvermeidlichen Begegnungen in der Wohnung beschränkt. Was herrschte für ein Haß zwischen uns. Er hielt mich für einen Spinner, für den geborenen Loser, der nichts auf die Reihe bekam. Und ich hielt ihn für die Ausgeburt der Verlogenheit und des Angepaßtseins. Und ausgerechnet *er* kam mir mit der Moraltour. Er lebte inzwischen irgendwo in Süddeutschland, mit einer netten Frau und zwei netten Kindern, einem netten Beruf und einem netten Häuschen, für das er sein gesamtes Leben würde bezahlen dürfen. In *Generation X* schreibt Douglas Coupland, daß Leute, die dir erzählen, sie hätten ein Haus gekauft, dir ebensogut erzählen könnten, sie besäßen keine Persönlichkeit mehr. Man könne so viele Dinge daraus schließen, schreibt Coupland: daß sie in einem Job eingesperrt sind, den sie hassen, daß sie gebrochen sind, daß sie sich jeden Abend Videos reinziehen, daß sie fünfzehn Pfund Übergewicht haben und daß sie keiner Idee mehr zuhören. So ähnlich stellte ich mir auch die Psyche meines Bruders vor. Wahrscheinlich wohnten in seinem netten Haus auch noch ein netter Hund und eine nette Katze und ein netter Goldfisch. Alles wahnsinnig nett eben, so nett, daß es kaum zu ertragen war. Irgendwann erzählte mir meine Mutter, daß die nette Ehe meines Bruders vor einem netten Ende stand, er habe eine Neue gefunden, eine sehr nette wahrscheinlich – ein paar Wochen später erzählte meine Mutter mir, daß wieder alles in Ordnung sei. *Ist auch besser so. Allein schon wegen der Kinder*, sagte sie. Für mich war es die reine Heuchelei.

An meinen Vater habe ich so gut wie keine Erinnerung mehr, meine Eltern hatten sich getrennt, als ich vier Jahre alt war, und mein Vater hatte wohl nicht gerade das dringendste Bedürfnis, seine Kinder zu sehen. Ich habe mit meiner Mutter nie darüber geredet, aber ihr war es wohl ganz recht so.

Nach meinem überstürzten Auszug hatte ich sie ein paarmal im Jahr angerufen, und nach jedem Gespräch bekam ich ein schlechtes Gewissen. Ich vernahm, wie sehr sie darunter litt, ihren jüngsten Sohn so gut wie nie zu Gesicht zu bekommen, jedesmal fragte sie, wann ich sie besuchen komme, und jedesmal druckste ich herum, laberte davon, daß ich wenig Zeit hätte, was natürlich nichts anderes war als gequirlte Hühnerkacke. Bei meinen seltenen Besuchen spürte ich, wie ich mich immer mehr entfernte – nicht nur von meiner Mutter, sondern auch von meinen alten Freunden, von all den Menschen, die mir mal so wichtig waren. Ich stellte fest, daß wir uns immer weniger zu sagen hatten, und das lag nicht einmal daran, daß es nichts zu sagen *gab*. Aber ich hatte schlicht keine Lust, anderen zu erzählen, was ich machte und wie ich lebte, und irgendwann wußte ich gar nicht mehr, *warum* ich es anderen erzählen sollte. Sie führten ihr Leben, ich führte mein Leben, basta und aus. Freunde kommen, Freunde gehen, so läuft es wohl – oder besser: Freunde kommen, Fremde gehen. Bei einem meiner Besuche traf ich einen alten Freund (also ich meine jemanden, den ich früher wirklich als meinen *Freund* bezeichnet hatte). Ich stand mit ihm und ein paar anderen Kumpels in einer Kneipe – und wir hatten uns *nichts*, aber auch rein *gar nichts* zu sagen, wir wußten einfach nicht, worüber wir reden sollten. Ich hatte nie zuvor eine ähnlich *quälende* Situation erlebt. Wir standen da, und ich blickte in die Gesichter der anderen, die sich unterhielten und lachten, und ich dachte, Martin, du gehörst hier nicht mehr hinein, du hast hier nichts mehr zu suchen, du bist ein Fremdkörper hier. Du kannst nicht einfach weggehen für Jahre und irgendwann wiederkommen und glauben, daß dann alles ist, wie es war. Es ist nicht so, wie es war. Da gibt es doch dieses Gedicht von dem Liebespaar, das nach ein paar Jahren feststellt, daß es sich nicht mehr liebt, von Tucholsky, oder halt, nein, ich glaube, es ist von Kästner. Jedenfalls gehen die beiden am Schluß in ein Café und sitzen sich gegenüber, und das sind die einzigen Zeilen, an die ich mich erinnere: »Sie saßen nur dort und sprachen kein Wort und konnten es einfach nicht fassen.« Genau das war es, was ich empfand – mit dem Unterschied, daß sich das Liebespaar in dem Gedicht voneinander entfernt hat, *obwohl* es jahrelang zusammengelebt hatte.

Vielleicht habe ich mich da in etwas hineingesteigert, aber irgendwann war es so weit, daß ich einfach nicht mehr nach Hause fahren *konnte*, ich bekam Magenkrämpfe bei dem Gedanken.

Jetzt kurvten wir mit dem Cadillac durch die kleinen Straßen, und ich war vor allem damit beschäftigt, möglichst keines der Jägerzäunchen zu streifen.

Hier hatte sich so gut wie nichts verändert, hier war die Zeit stehengeblieben.

»Sie wird sich bestimmt riesig freuen«, sagte Rudi, als wir vor dem Haus hielten.

Klar würde sie sich freuen. Aber ich wußte nicht, ob es mir nicht lieber war, wenn sie sich ärgern würde, wenn sie mir Vorwürfe machen würde. *Wo bist du so lange gewesen? Warum hast du dich in all den Jahren so selten gemeldet? Du hast mir das Herz gebrochen!* Ich fürchtete, daß ihre Freude mir nur ein noch schlechteres Gewissen machen würde. Diese Frau hatte ein so verdammt großes Herz, und ich verstand nie, wie sie darin für so viele Menschen ein Plätzchen freihalten konnte. Für mich. Für meinen Bruder. Ich glaube, selbst für meinen Vater. Ich sah auf das kleine Haus und dachte daran, daß in all den Jahren, in denen ich mich Gott weiß wo herumgetrieben hatte, meine Mutter jeden Morgen aus dieser Tür getreten, zur Arbeit gegangen und jeden Abend wieder hierher zurückgekehrt war.

Ich kann dir sagen: ich hatte mehr Angst als all die Tage zuvor, nachdem ich dem Cadillac entstiegen war. Rudi versuchte mir mit seinem Lächeln Mut zu machen. Wahrscheinlich ahnte er, wie ich mich fühlte. Ich fragte ihn, ob er mitkommen wolle, aber er zog es vor, lieber im Wagen zu bleiben. Wieder wußte ich nicht, was mir lieber gewesen wäre.

Im Vorgarten stand sie immer noch, diese grauenhafte Elvis-Statue. Der King aus irgendeinem weißen Marmorimitat, mit Klampfe in der Hand. Mein Gott, war mir das Ding immer peinlich gewesen. Als Kind hatte ich einen Bären, der anfing zu brummen, wenn man seinen Kopf auf- und abhob. Ich hätte mich nicht gewundert, wenn die Elvis-Figur ›Love me tender‹ zu krächzen begonnen hätte, wenn man sie bewegte.

Ich ging zur Haustür. Ich sah auf die Uhr. Halb zehn.

Vielleicht war sie schon ins Bett gegangen. Vielleicht war sie gar nicht da. Himmel, vielleicht war sie gar nicht alleine, hatte ich denn eine Ahnung, was in den vergangenen Jahren alles passiert war?

Ich drückte auf die Klingel. Ich drehte mich zu Rudi um und lächelte ihm zu und hob den Daumen wie der römische Kaiser, der dem Gladiatoren das Leben schenkte.

Durch die Scheibe der Haustür sah ich, wie im Flur das Licht anging – o Gott, was mache ich, wenn jetzt ein fremder Mann vor mir steht? Was mache ich, wenn jetzt meine Mutter vor mir steht? –, ein paar Sekunden später öffnete sich die Tür, und meine Mutter schaute heraus.

»Hallo Mama«, sagte ich. Mama. Wie das klang. Mama. Du kannst so alt sein wie du willst, sie wird immer deine Mama sein.

In ihrem Gesicht stand die reine Überraschung. »Junge.« Und du kannst so alt sein wie du willst, du wirst immer ihr Junge bleiben. Sie öffnete die Tür ganz. Sie blickte mich fassungslos an. »Martin ... Junge ... wo kommst du her, wo bist du gewesen, Stropp.«

Stropp! Mein alter verdammter Kosename. Stropp! Ich bin dreiunddreißig und ein Stropp!

Ich ging auf sie zu und nahm sie in die Arme. Ich preßte die Augen zu, weil ich fühlte, wie sie volliefen. Ich spürte den Druck meiner Mutter, spürte, wie sie meinen Körper an ihren zog, spürte ihre Hände auf meinem Rücken, die mich festhielten, bewegungslos.

Rudi   Ich konnte kein Wort verstehen von dem, was die beiden sagten. Was sagt man seiner Mutter nach zehn Jahren? *Hallo, Mama, wie geht's? Was hast du in den vergangenen zehn Jahren gemacht?* Seine Mutter stammelte ein paar Worte, dann umarmten sie sich. Sie standen da, völlig bewegungslos, nach einer Weile fing Martins Mutter an, mit einer Hand sanft Martins Rücken zu tätscheln.

Martin   Ich löste mich aus ihrer Umarmung und drehte mich um. »Guck mal, was ich dir mitgebracht habe«, sagte ich und nahm ihre Hand und ging auf den Cadillac zu. Als Rudi uns kommen sah, stieg er aus.

»Was ist das?« fragte meine Mutter. »Und wer ist der Mann?«

»Der Mann«, sagte ich, »ist ein Freund von mir, das ist Rudi Wurlitzer ...«

Rudi sagte »Guten Abend« und gab meiner Mutter die Hand.

»... und der Wagen ist für dich, Mama. Ein Cadillac Fleetwood. So ein Auto hat Elvis seiner Mutter geschenkt. Und jetzt schenke ich dir so ein Auto.«

»Ich weiß, Stropp, aber ...« Sie stand vor dem Auto, und ihre Blicke sprangen zwischen mir und dem Cadillac hin und her. »Er ist wunderschön, Junge, wunderschön.« Sie drehte sich zu mir um und lächelte: »Ich habe keinen Führerschein«, sagte sie, »und du bist nicht Elvis.«

Rudi   Ich habe keine Autos heranfahren hören. Es war, als seien sie von einer Sekunde zur anderen vom Himmel gefallen. Sie hielten nicht einmal mit quietschenden Reifen.

In meiner Erinnerung geschah alles vollkommen lautlos. Das erste, was ich hörte, waren die Worte: »Stehenbleiben, Brest. Ganz ruhig. Rühr dich nicht von der Stelle.«

Martin war mindestens so überrascht wie ich. Er griff in sein Jackett, an seine Waffe, und er sagte seiner Mutter, sie solle ins Haus gehen.

Martins Mutter ging ein paar Schritte zum Haus, verwirrt.

Vier Polizisten in Zivil hatten sich hinter ihren Fahrzeugen verschanzt und zielten auf Martin.

Manfred Keller   Ich rief: »Laß die Waffe fallen, Brest. Du hast keine Chance.«

Rudi   Ich rief: »Tu, was er sagt, Martin. Leg die Pistole hin!«

Martin   Zehn Jahre bin ich nicht zu Hause gewesen. Und das erste, was meine Mutter von ihrem Sohn sieht, ist, wie ihn vier Polizisten festnehmen wollen. Ich wußte nicht, was ich tun sollte. Ich wußte nicht, auf wen ich zielen sollte.

Rudi rief mir zu, ich solle die Pistole weglegen.

Ich richtete die Waffe abwechselnd auf die Polizisten. Ich blickte zu Rudi und sagte: »Ich kann das nicht tun.«

Manfred Keller   Ich rief: »Brest! Waffe weg, verdammt noch mal! Oder ich schieß dir ein Loch in die Rübe!«

Rudi   Ich rief: »Martin! Das Meer ist nicht so wichtig! Ich werde es schon noch sehen!«

Martin   Rudi rief mir zu, er werde das Meer schon noch zu sehen bekommen.

Ja, *er* vielleicht.

Ich rief zurück: »Du schon..., aber ich nicht mehr!«

Rudi   Er hat gelogen, die ganze Zeit! Er hat mich die ganze Zeit verarscht! Er hat mich nach Strich und Faden verarscht, der Mistkerl! Erzählt mir einen vom Meer und wie schön es da ist, und dabei war er selbst noch nie da!

Marianne Brest   Neun Jahre war mein Sohn nicht mehr zu Hause gewesen. Neun Jahre. Du lieber Himmel, ich habe es nicht fassen können, als er plötzlich vor der Türe stand.

Er sah schlecht aus. Krank. Und müde.

Ich war überrascht und berührt von der Art, wie er mich umarmte. Es war nicht die Tatsache, daß er mich *überhaupt* umarmt hat – als Kind war er Zärtlichkeiten meist aus dem Weg gegangen –, sondern es war die Art, *wie* er mich umarmt hat, es war diese Innigkeit, die mich überrascht hatte. Später habe ich gedacht, daß er sich mir vielleicht nie so nahe gefühlt hat wie in jenem Moment. Es lag so viel Sehnsucht in seiner Umarmung, aber auch so viel Traurigkeit, vielleicht sind es nur die naiven Gedanken einer Mutter, aber heute denke ich, daß es auch die Traurigkeit über unser ... über unser merkwürdig verfahrenes Verhältnis war.

Wissen Sie, was meine größte Sorge ist? Daß er geglaubt haben könnte, ich hätte mich für ihn oder seine Art zu leben geschämt. Daß er geglaubt haben könnte, ich hätte ihn nicht geliebt.

Ich habe meinen Sohn geliebt. In all den Jahren, in denen ich ihn nicht gesehen habe, in denen er kaum etwas von sich hat hören lassen. Ich habe seine Art zu leben respektiert. Ich habe ihn immer geliebt.

Aber ist das nicht selbstverständlich für eine Mutter?

13.

Du kannst jetzt nicht sterben

Rudi   Es dauerte einen Moment, bis der Polizist kapierte, daß Martin seine Waffe nicht fallen ließ, weil er aufgab, sondern weil er wieder einen Anfall bekam. Die Waffe klackerte auf den Asphalt, und Martin sackte zu Boden. Seine Mutter stand vor dem Haus und hielt sich vor Entsetzen eine Hand vor den Mund. Ich rannte zu Martin, kniete mich neben ihn und nahm ihn in den Arm: »Du Lügner«, flüsterte ich. »Du verdammter Lügner.«

Martin zitterte, er versuchte ein Lächeln.

Inzwischen waren auch die Polizisten näher gekommen. Einer sagte: »Gut so, Brest.« Und zu seinen Kollegen: »Okay, nehmt ihn fest.«

NEHMT DEN MANN FEST!

Manfred Keller   Wahrscheinlich war doch etwas dran an diesem Stockholm-Komplex oder -Symptom oder -Syndrom oder wie das heißt. Nachdem Brest zusammengesackt war, lief der andere, die Geisel, zu ihm und nahm ihn in die Arme. Als ich den Kollegen sagte, sie sollten Brest festnehmen, sprang der Typ auf und schrie mich an: »Nehmt den Mann fest?! Der Mann stirbt! Er ist schwer krank! Holen Sie einen Krankenwagen, wenn Sie ihn nicht im Himmel verhaften wollen.«

Rudi   Zehn Minuten später war der Krankenwagen da. Zwei Notärzte hoben Martin auf die Trage und schoben ihn zum Auto. Ich lief zu Martins Mutter, die immer noch wie angewurzelt vor ihrem Haus stand. Während ich sie sachte ins Haus schob, sagte ich ihr, daß ich sie vom Krankenhaus anrufen und ihr alles erklären werde und daß ihr Sohn nichts Unrechtes gemacht habe. Ob sie mir das abgenommen hat? *Machen Sie sich keine Sorgen, Frau Brest, die vier Polizisten haben nichts zu sagen. Es ist nur, tja, Ihr Sohn hat ein paar Überfälle begangen, eine Tankstelle ausgeraubt und eine Bank, außerdem glaubt die Polizei, ich sei seine Geisel, verstehen Sie, nichts Besonderes also, das klärt sich alles, ach ja, und außerdem ist Ihr Sohn todkrank...*

Ich wollte gerade zu Martin und dem Notarzt in den Wagen steigen, als mir einer der Polizisten auf die Schulter tippte und fragte: »Sie wollen mitfahren? Nach allem, was er Ihnen angetan hat?« Es war wieder der Idiot, der sich schon als John Wayne aufgespielt hatte, als Martin auf dem Boden lag und sich in Krämpfen windete.

Ich drehte mich zu ihm um: »Er ist mein Freund. Ich passe auf ihn auf.« Dann kletterte ich in den Wagen.

Der Polizist sagte einem seiner Kollegen, daß er ebenfalls mitfahren und anrufen solle, wenn es Martin wieder besser ginge.

Wir stiegen in den Wagen und fuhren los.

Der Arzt hatte Martin ein paar Spritzen gegeben und eine Infusion angelegt. Am Fußende der Trage saß der Polizist.

Ich streichelte Martins Haare. Martin lag da, und sein Körper zitterte immer noch leicht.

Das war's also? Endete hier unsere Fahrt ans Meer? Unser großes Abenteuer? Mein erstes und gleichzeitig letztes großes Abenteuer? In einem beschissenen Krankenwagen, der mit hundertzwanzig Sachen durch die Gegend rast?

Ich konnte es nicht glauben. *Er* hatte mir diese ganze Suppe eingebrockt, und jetzt lag er da und kratzte einfach ab. *Er* hatte mich daran erinnert, daß ich als Kind immer ein Pirat sein wollte. Mit einem Säbel und einer Augenklappe. *Er* hatte mich daran erinnert, daß ich die sieben Weltmeere befahren wollte, daß ich Schiffe ausrauben und ein Leben in Saus und Braus führen wollte.

Ein Pirat. Doch dann bin ich einfach erwachsen geworden. Ich habe es nicht einmal gemerkt. *Irgendwann mußt du doch mal erwachsen werden; denk doch auch mal an deine Zukunft, Kind; Träume sind schön und gut, und du sollst dir deine Träume ja auch bewahren, aber du kannst dir nun mal nicht jeden Wunsch erfüllen im Leben.* Verdammt, ich wollte mir doch nicht *jeden* Traum erfüllen, aber wenigstens *einen.* Ich hatte nicht einmal gemerkt, daß ich irgendwann klammheimlich Abschied genommen hatte von all meinen Träumen und Sehnsüchten – und irgendwann von meinem letzten Wunsch: Irgendwann abtreten und sagen zu können: Du hast dein Leben nicht verplempert. Nicht einmal diese Ehrlichkeit mir selbst und meiner Feigheit gegenüber habe ich aufgebracht. Ich hatte mich arrangiert mit meiner Unzufriedenheit.

Ich wollte ein Pirat sein, aber bis heute habe ich keines, nicht einmal das klitzekleinste der Meere bloß *gesehen*, die ich befahren wollte.

...

Habe ich laut vor mich hin geredet?

Es muß wohl so gewesen sein, denn der Notarzt und der Polizist beobachteten mich aufmerksam. »Sie waren noch nie am Meer?« fragte der Polizist.

Ich schüttelte den Kopf. »Und Martin auch nicht.«

Der Polizist ließ mich nicht aus den Augen.

Ich sagte: »Und wissen Sie, was das Schlimmste ist?« Der Polizist schüttelte den Kopf. »Wenn er in den Himmel kommt, reden alle über das Meer und darüber, wie schön es da ist, sie reden vom Wind und vom Sonnenuntergang und von den Burgen, die sie gebaut, und den Muscheln, die sie gesammelt haben... Und Martin wird

Die Küste ist nicht mehr weit – aber vorher muß noch Rudis Wunsch erfüllt werden.

Rudi am Ziel seiner Wünsche.

... endlich: das Meer!

Knockin' on Heaven's Door ...

dabeisitzen und nicht mitreden können.« Ich lachte verzweifelt auf. »Tja, da ist er aber angeschissen.«

Der Polizist blickte verlegen auf den Boden, der Notarzt betrachtete mit größtem Interesse einen Erste-Hilfe-Kasten.

Und ich saß da und fing an zu heulen. Ich heulte, wie ich noch nie in meinem Leben geheult hatte, noch nie – nicht einmal, nachdem ich erfahren hatte, daß ich Krebs habe.

14.

War 'ne schöne Zeit

Rudi   Ich hatte keine Tränen mehr. Ich saß bloß noch da und starrte Martin an. Er zitterte nicht mehr, er hatte die Augen geschlossen und lag völlig ruhig auf seiner Trage.

Ich dachte, er sei eingeschlafen.

Bis er für eine Sekunde die Augen öffnete und mir zuzwinkerte.

Der Polizist starrte vor sich hin. Der Notarzt fummelte an irgendwelchen Geräten herum.

Martin   Keine Ahnung, was der Arzt mir gegeben hatte, aber als ich langsam wieder zu mir kam, spürte ich so gut wie keine Schmerzen mehr. Das erste Mal seit langer Zeit.

Ich hörte Rudis Stimme dicht an meinem Kopf, immer wieder unterbrochen von Schluchzern. Er sprach von seinen verlorenen Träumen und davon, daß ich ihn daran erinnert habe. Ich fragte mich, ob er auch weinte, weil er dachte, daß es mit mir zu Ende geht?

Ich war mir darüber klar, daß ich es irgendwann riskieren mußte, die Augen zu öffnen, und hoffte, daß der Arzt es nicht sehen würde.

Als ich die Augen öffnete, blickte ich direkt in Rudis völlig verheultes Gesicht. Ich zwinkerte ihm zu und schloß die Augen wieder.

Irgend jemand saß noch am Fußende der Trage, so viel hatte ich immerhin schon mitgekriegt. Das hieß also, daß neben Rudi noch mindestens zwei Leute im Wagen mitfuhren – einer für Rudi, einer für mich. Hinzu kam der Fahrer, aber der war ja zunächst mal das geringste Problem.

Ich fragte mich gerade, wie ich mich mit Rudi verständigen konnte, als er mir die Arbeit abnahm.

»Martin«, hörte ich ihn ganz nah an meinem Ohr schluchzen, »bitte, wach wieder auf, versprich mir, daß du nicht stirbst, du mußt daran glauben, daß du wieder gesund wirst. Hörst du?«

Ich nickte unmerklich.

Dann war seine Stimme etwas weiter weg, ich nahm an, daß er den Kopf wieder angehoben hatte. Er sagte: »Wissen Sie, Sie sitzen hier neben Martins Kopf, als sei es das Normalste von der Welt. Aber ich, ich habe so viel mit Rudi durchgemacht. Wenn er jetzt wieder zu sich kommen würde, würden wir uns auf Sie stürzen, ich würde mich auf Sie dahinten werfen ...« Der Mann am Fußende der Trage? »... und Martin würde Sie überwältigen, Herr Doktor.«

Eine Stimme rechts von mir: »Nun reden Sie keinen Unsinn.« Der Arzt.

Rudis Stimme: »Der Mist wäre nur, daß er sich die Infusionsnadel aus dem Arm reißen würde, stimmt's, Herr Doktor?« Ich spannte meine Arme an und spürte zum erstenmal die Nadel im linken Arm.

Die Stimme von links, freundlich, beruhigend, wie zu einem kleinen Kind: »Das wäre das geringste Problem, Herr Wurlitzer. Es würde ein bißchen zwacken, aber er würde bestimmt nicht *davon* sterben.«

Rudis Stimme: »Nein, *davon* würde er vermutlich nicht sterben.« Rudi ließ ein kurzes, hysterisches Lachen hören.

Dann Schweigen.

Dann wieder Rudis Stimme, betont verschwörerisch (nicht zu auffällig, mein Freund, übertreib's nicht): »Ich müßte wissen, wie es ihm geht, er müßte mir ein Zeichen geben. Oder er müßte den Anfang machen.«

Kurzes Schweigen.

Dann eine Stimme vom Fußende der Trage: »Ich hoffe, ich trete Ihnen nicht zu nahe, aber Sie erzählen einen ziemlichen Blödsinn, Herr Wurlitzer.«

Wieder Rudis hysterisches Gackern.

Okay.

Ich fing an zu husten und steigerte mich ziemlich schnell in einen mittelschweren Hustenanfall hinein. Das mußte reichen für Rudi. Ich fing an zu zucken, dann hörte ich Rudis Stimme: »Martin. Was ist los? Tun Sie doch was, Herr Doktor. Helfen Sie ihm!« Ich röchelte (übertreib's nicht), drehte mich nach links, öffnete die Augen, sah die Infusionsnadel in meinem Arm und den Doktor, wie er hinter sich griff. Als er sich wieder umdrehte, hatte er eine Spritze in der Hand und eine Sekunde später meine rechte Faust in seinen Weichteilen.

Geräusche rechts vor mir.

Der Arzt stieß einen gedämpften Laut aus, krümmte sich nach vorne, ich riß mir die Nadel aus dem Arm, und im nächsten Moment fiel mir ein, daß man in solchen Fällen eigentlich einen Tupfer fest auf die Einstichstelle drücken muß. Blut lief meinen Arm hinab. Ich rammte dem Arzt meine Faust gegen das Kinn und war selbst überrascht, daß er sofort nach hinten fiel. Er knallte mit dem Kopf gegen die Wand und sackte zur Seite. Ich drehte mich um und sah Rudi, wie er eine Waffe in den Händen hielt und auf den Polizisten zielte, der auf dem Boden saß und sich die Hände vor seine Nase hielt.

Rudi sah mich an und lächelte: »Alles klar?«

Ich nickte.

»Dann auf zum Meer.«

Rudi   Der Fahrer war das geringste Problem. Ich hatte das überzeugendere Argument in der Hand.

Wir fesselten das Trio an einen Baum, stiegen in den Rettungswagen, wendeten und machten uns auf den Weg.

Wieder mal.

Martin   Wir fuhren die ganze Nacht durch. Kurz nach Mitternacht passierten wir die holländische Grenze. An einer Tankstelle hielten wir an, um eine Flasche Tequila zu kaufen.

Rudi   Plötzlich bremste Martin abrupt ab. Zunächst dachte ich an einen neuen Anfall, vermutlich habe ich ihn ziemlich entsetzt angeguckt, denn Martin sagte sofort, daß alles in Ordnung sei, und bestärkte dies durch eine verneinende Geste mit der Hand. Ich blickte ihn fragend an, weit und breit war kein Haus zu sehen. Martin schaute in den Rückspiegel, dann legte er den Rückwärtsgang ein und fuhr ein paar Meter zurück, bis wir vor einem einsamen Haus standen.

TRUE ROMANCE – OPEN FROM DUSK TILL DAWN stand in grünen Neonbuchstaben an der Fassade.

»Ein Bordell?« fragte ich Martin.

Er lächelte. »Nee. Das ist eindeutig ein Puff.«

»Laß uns fahren...«, sagte ich.

Martin lächelte.

Ich bekam ein ungutes Gefühl. Ich wußte nicht, ob ich auf der Erfüllung meines Wunsches Nummer 1 so unbedingt noch bestehen wollte. Zudem war mir im Moment gar nicht danach. Martin zog die Handbremse an und stieg aus.

Na ja, wir konnten uns ja mal umsehen in dem Laden.

Martin   Na, na, na. Wollte mein Freund auf einmal kneifen? Als ich vor dem Puff hielt, machte Rudi große Augen und schien auf einmal nicht nur alle Lust, sondern auch jede Erinnerung an seinen größten Wunsch verloren zu haben. Mich juckte das wenig, ich stieg einfach aus und ging auf den Laden zu. An der Eingangstür wartete ich, bis Rudi wieder zu mir aufgeschlossen hatte. Er fing damit an, daß es noch ein ziemlich weiter Weg bis ans Meer sei und daß wir schon genügend Zeit verloren hätten und so weiter; alles ziemlich leicht zu entkräftende Argumente. Ich beendete die Debatte mit einem »Nun komm schon« und öffnete die Türe. Drinnen empfing uns gedämpftes Licht. Rudi stupste mich an und sagte: »Komm, laß uns gehen, die wollen gleich zumachen, die haben ja schon das Licht ausgemacht.« Er gackerte albern los. Ich blickte ihn an, kniff die Augen zusammen und ging hinein.

Wir gingen durch den Raum. Der Menge der Besucher nach zu urteilen hatte der Laden offenbar einen guten Ruf – oder Rudi hatte doch recht mit seiner Million Männer, die jeden Tag fürs Vögeln bezahlen. Jedenfalls brummte der Laden – an den meisten Tischen saßen einer oder mehrere Typen mit den dazugehörenden weiblichen Accessoires. Vereinzelt waren deutsche Wortfetzen zu hören. »Hörst du?« sagte ich zu Rudi, »das nennt man wohl kleinen Grenzverkehr.« An der Theke saßen ebenfalls ein paar Männer, einige von ihnen hatten Frauen auf dem Schoß. Auf der Bühne tanzten vier Mädchen zu *Je t'aime*. Ich werde nie verstehen, warum in Puffs immer so eine schwülstige Atmosphäre herrschen muß. Rudi blieb stehen und betrachtete die Mädchen, die sich auf der Bühne abmühten. Sie hatten ihre Nummer offenbar bald hinter sich, denn sie machten sich gerade an ihren BHs zu schaffen.

Rudi   Also, ich weiß nicht. Besonders geschmackvoll war der Laden ja nicht eingerichtet, fand ich. Ich betrachtete die Gäste und hoffte, daß ich niemanden kennen würde. Ich mußte an diesen uralten Witz denken, in dem ein Mann mit seiner Frau einen Puff betritt, und natürlich erkennt ihn sofort jeder und spricht ihn an und freut sich, daß er sich endlich mal wieder blicken läßt, der Barkeeper, die Mädchen und so weiter, und die Frau ist ganz entsetzt, und er sagt, daß er wohl verwechselt wird..., na, ja, irgendwie so was, ich krieg den Witz nicht mehr ganz zusammen. Direkt neben mir saß ein dicker Mann, hatte ein halbnacktes Mädchen auf dem Schoß und betatschte ihren Hintern. Ich fragte mich, ob sie noch mit ihm nach oben *mußte* oder ob sie schon oben *war*. Aus einer Seitennische kam ein kurzes, quiekendes Gelächter. Auf der Bühne bewegten sich vier Mädchen zu diesem französischen Lied, in dem ein Typ mit verrauchter Stimme immer *Je t'aime* seufzt. Die Mädchen zogen gerade kollektiv ihre BHs aus, und ich wollte mich zu Martin umdrehen, um ihm zu sagen, daß die Frauen hier auch schon lange keinen Schnupfen mehr gehabt haben, aber er war schon an die Theke gegangen.

Martin   Ich trat an die Theke, ein junges Mädchen (*ziemlich* jung für die Puffmutter, dachte ich) trat an mich heran und hauchte ein »Hallo, was kann ich für Dich tun?«.

Ich sagte: »Tjaaa, draußen steht mein Diesel. Einmal volltanken bitte, und dann nehme ich noch zwei Pfund Kaffee, zwei Kilo Äpfel, eine Palette Eier und diese leckeren Brezel-Kekse, für die Ihr Land berühmt ist.«

Die Frau ließ mich ziemlich auflaufen mit meinem Gag. Vermutlich hatte sie ihn an diesem Abend schon dutzendmal gehört. »Ein etwas ausgefallener Wunsch, mein Herr, die Brezel-Kekse heißen *Krakelingen*, und außerdem haben Sie den Käse vergessen«, sagte sie mit holländischem Akzent, lächelte aber immerhin nachsichtig.

»Stimmt«, sagte ich, »dann vielleicht was Passenderes. Ich suche ein hübsches Geschenk für meinen Freund da drüben«, ich zeigte auf Rudi, der immer noch keine Anstalten machte, sich von dem Anblick auf der Bühne zu lösen. »Am besten gleich zwei Geschenke. Wäre das möglich?«

»Zwei? Das sollte möglich sein.«

Mit dem Zeigefinger ihrer rechten Hand gab sie mir zu verstehen, daß ich ihr folgen solle. Ich ging zu Rudi und riß ihn aus seinen Träumen. »Komm mit. Jetzt wird's ernst.« Wir folgten der Frau in ein Zimmer, das fast nur aus rotem Plüschzeugs bestand. Wir ließen uns in ein großes, abgewetztes Sofa (rot!) sinken, die Frau setzte sich auf die Lehne und klatschte in die Hände. Nacheinander kamen zwanzig halbnackte Mädchen in den Raum und bauten sich vor uns auf. Passend dazu hörten wir jetzt aus dem Nebenraum leicht plätschernden Applaus. Die Tanzvorführung war wohl zu Ende.

Ich beobachtete Rudi amüsiert. Nach einer Weile drehte er sich zu mir und sagte leise: »Also, ich komme mir schon komisch vor... Ich zeige jetzt auf eine, und die geht dann mit mir mit, oder was?«

»Ich will dich ja nicht desillusionieren, Rudi«, flüsterte ich zurück, »aber sie ist nicht auf *dich* scharf, sondern auf die Kohle.«

»Was ist denn mit dir? Nimmst du auch eine?«

»Es ist *dein* Wunsch.«

Er betrachtete wieder die Mädchen.

Tut mir leid, aber ich konnte nicht anders. Ich mußte einfach losprusten, als Rudi sich zu der Puffmutter umdrehte und fragte: »Kann ich auch zwei?« Er sagte das mit der schüchternen Stimme eines kleinen Jungen, der seine Mutter fragt, ob er sich auch *zwei* Bonbons aus dem großen Glas auf dem Küchenschrank nehmen dürfe.

Die Puffmutter sagte: »Du kannst *alle* haben, wenn du genug Geld hast.«

Rudi holte das Geldbündel aus seinem Jackett und legte die zehntausend Mark auf den Tisch.

Die Puffmutter besah sich das Geld, dann sah sie Rudi an und sagte lächelnd: »So viele schaffst du nicht.«

Rudi   Also, ich kam mir wirklich komisch vor, wie ich da auf der Couch saß und dann zwei Mädchen aussuchte. Ich kam mir vor wie der lebende Beweis für alles Schlechte und Machohafte im Mann. Ich fand es vor allem unangenehm, die anderen achtzehn wegschicken zu müssen. Ich dachte, sie müßten sich doch irgendwie abgelehnt vorkommen, wie soll ich sagen, ich meine, die müßten doch geglaubt haben, daß ich sie nicht attraktiv gefunden habe.

Tja.

Vielleicht waren sie auch ganz froh. Haha.

Na, ja, Martin hatte mich auf den Boden der Realität zurückgeholt, als er mir ins Ohr raunte, daß sie nicht wegen mir, sondern wegen des Geldes mitgehen würden.

Hm.

Auf jeden Fall sehe ich besser aus als der fette Typ, der sich da unten in einem Sessel fläzte und dem Mädel am Hintern rumgrabschte.

Henk   Nach dieser ganzen Maisfeld-Scheiße habe ich überlegt, ob ich meine Eier versichern lassen sollte, bevor ich zu Frankie zurückkroch. Dann hätte ich wenigstens finanziell ausgesorgt.

Aber dann war alles halb so schlimm. Unsere Eier durften wir behalten, dafür bekamen wir wieder einen Schlag in den Magen und außerdem einen neuen Aufgabenbereich zugesprochen: Wir durften jetzt in Frankies Puff die Hausmeister spielen. Die Bums-Betten frisch beziehen, Handtücher waschen, Präser entsorgen, Klos wienern, alles so spannende Sachen. Und als besonders tollen Gag ließ uns Frankie in Bademänteln herumturnen. Aber wir waren noch vollständige Männer, Abdul und ich, und das war es doch eigentlich, was zählte. Ich hatte mir ausgerechnet, daß wir, wenn wir uns nicht allzu blöd anstellten, vielleicht bald wieder aufsteigen konnten in Frankies Rangliste. So in zehn bis zwölf Jahren.

Aber als ich einen der Wichser, die uns den Wagen und die Kohle geklaut hatten, auf einmal in unserem Puff sah, sah ich den Augenblick unserer triumphalen Wiederauferstehung schon gekommen. Ich stand mit Abdul gerade im Flur und faltete Handtücher, um sie anschließend auf die Zimmer zu bringen. Ich hatte das Gefühl, da fielen mir meine Augen aus den Löchern. Da kam tatsächlich einer von den Scheißkerlen die Treppe rauf mit zwei Mädels im Arm und verschwand in einem Zimmer. Abdul glotzte mich an, und ich nickte zurück.

Abdul   Ich gucke nur Henk an, um zu sehen, daß ich richtig gucke und keinen Vater Morgen sehe. Henk nickt, und ich wußte, daß vorbei ist mit Scheißarbeit und Scheißbademänteln.

Frankie   Die Pleite im Maisfeld hatte uns alle ziemlich mitgenommen, Carlos und die Rodriguez-Brüder sowieso, die konnten jetzt in der Hölle ihr Geld als Sieb verdienen, aber mich natürlich auch, denn die Kohle hatte ich danach endgültig abgeschrieben. Ich war vor Curtiz zu Kreuze gekrochen und hatte ihm mitgeteilt, daß er noch etwas auf seine Million warten müsse. Curtiz war natürlich restlos begeistert. Unser Verhältnis ist jetzt besser als jemals zuvor, ich erwarte bei jedem Schritt, den ich mache, auf eine Tretmine zu latschen.

Ich weiß nicht, warum ich Henk und Abdul nicht zur Minna gemacht habe, wahrscheinlich bin ich einfach zu gutmütig, ja, das wird's sein. Und alle nutzen meine Gutmütigkeit aus. Das sagt Chantal auch immer.

Ich blätterte gerade ein paar Fotos von neuen Mädchen durch, als es klopfte und Henk und Abdul ins Zimmer kamen.

Sie bauten sich vor mir auf, als wären sie auf die Idee gekommen, sich bei der *Blöd*-Zeitung darüber zu beschweren, wie ich sie behandelte. In ihren Bademänteln sahen sie dadurch allerdings nicht wesentlich intelligenter aus. Aber sie sahen schließlich auch in Anzügen nicht besonders intelligent aus. Die beiden hatten noch nicht mal darauf gewartet, daß ich »Herein« rief. Die hätten mich in sonst einer Situation erwischen können. Sie mußten schon eine besonders gute Erklärung haben.

Ich fragte sie, ob sie fertig seien mit den Zimmern, und wenn ja, sollten sie sich die Klos vornehmen.

Abdul sagte: »Ich glaube, wir putzen keine Klos mehr.«

Ts. Dieser Araber hatte wirklich Nerven. Ich sagte: »Das glaubst du nicht? Und warum glaubst du das nicht, mein Schätzchen?«

Die beiden sahen sich an, Abdul machte eine einladende Geste zu Henk. Henk trat vor und verkündete: »*Sie* sind da!«

Nachdem ich geschnallt hatte, wer mit ›Sie‹ gemeint war, habe ich die beiden ein- bis zweihundertmal gefragt, ob sie sich sicher seien. Dann sagte ich ihnen, daß ich die Herrschaften, die sich meine Million unter den Nagel gerissen hatten, gerne in etwa einer Viertelstunde in meinem Büro zu einem Täßchen Tee und einem kleinen Plausch empfangen würde.

Martin   Ich saß mit der Puffmutter, die übrigens Yvonne hieß (Künstlername, sagte sie mit einem Lächeln), an der Theke und trank Champagner und erzählte ihr die fantastischen Abenteuer von Rudi und Martin, Band eins bis zehn.

Sie saß da und hörte amüsiert zu, und als ich fertig war mit meiner Geschichte, fragte sie: »Und das ist alles wahr?«

»Das ist es«, sagte ich und hob mein Glas, um mit ihr zum ich weiß nicht wievielten Male anzustoßen. »Auf das Leben.«

Pling.

Wir tranken einen Schluck. Yvonne blickte mich an und sagte: »Das ist so…, so…« Ihr fiel offenbar kein passendes Wort ein.

Dafür aber jemand anderem.

»So traurig?« hörte ich eine Stimme hinter mir sagen.

Ich drehte mich um und blickte in eine Pistole.

Rudi   Es war…, tja…, es war…

Es war toll! Also wirklich, es war riesig. Es war die Verwirklichung primitivster Männerphantasien, Phantasien, die zu haben ich mir bis dahin zwar kaum selbst einzugestehen vermochte, aber es war einfach toll.

Nach vollbrachtem Werk lag ich unter der Decke und rauchte mit geschlossenen Augen eine Zigarette (ich dachte, wenn ich mich schon so ausgiebig in Klischees wälze, dann gehört die Zigarette danach in jedem Fall dazu, nicht wahr?). Ich fühlte mich müde, angenehm müde. Es war diese Müdigkeit, in die man sich einfach hineinfallen lassen will, die langsam ins Zimmer schleicht und unter die Decke kriecht und die sich auf deine Augen legt und über die sich Frauen manchmal beschweren.

Außerdem wurde ich wieder mal melancholisch. Die

beiden Mädchen schienen meine heraufkriechende Schwermut fälschlicherweise auf sich zu beziehen. »Hat's dir nicht gefallen?« fragte die eine.

»Doch, doch...«, sagte ich.

»Aber du guckst so traurig«, sagte die andere.

Ich gucke traurig? Ich gucke nicht traurig, ich gucke melancholisch. »Wißt ihr«, sagte ich matt, »ich habe in meinem Leben so viele Dinge *nicht* gemacht und so viele Dinge *nicht* gesagt, und so wie es aussieht, wird es auch dabei bleiben.

Aber wahrscheinlich war das... der beste... Fick meines Lebens.«

»Und auch letzte, Bruder!« *Diese* Stimme, soviel war klar, gehörte ohne jeden Zweifel *keinem* der Mädchen.

Mein erster Gedanke, als ich die Augen öffnete, galt nicht einmal dem Araber oder der Pistole, die er vor meine Nase hielt, und den daraus möglicherweise entstehenden Konsequenzen, mein erster Gedanke galt der Frage, ob der Spanner meinem kleinen Tête-à-tête schon länger beigewohnt hatte.

Der Araber ließ mir nicht einmal Zeit, mich ordentlich anzuziehen. Er schubste mich durch ein paar Gänge und ein paar Treppen hinunter (diese ewige Rumschubserei ist übrigens auch ein albernes Klischee, fiel mir in dem Moment auf), bis in ein Büro, in dem Martin und zwei weitere Männer schon auf uns warteten.

Da standen wir also unserem Wohltäter unfreiwillig gegenüber, dem Mann, dem wir den netten Aufenthalt in dem Nobelhotel und dem ungezählte Mitbürger eine kleine Finanzspritze zu verdanken hatten.

Henk   Also Mut hatten die beiden wirklich, das mußte man ihnen lassen. Ich dachte, daß Frankie ihnen erst mal eine reinhaut, zur Begrüßung sozusagen. Ich dachte mir, warum haut er den Mistkerlen nicht auch mal eine

in den Magen. Immerhin haben sie ihm eine Million geklaut. Uns haut er schließlich auch ständig in den Magen,
und wir haben ihm schließlich keine Million geklaut, also ehrlich, ich wußte gar nicht, warum er so rücksichts-
voll war und den Ausgeglichenen spielte.

Frankie   Diese beiden Heinis? Diese beiden Hemdchen, die mir da gegenüberstanden, sollen mir eine
Million geklaut haben? Eines war ja wohl klar: Wenn
das stimmte, sprach das nicht gerade für Henk und Abdul.

Ich stand auf und kam hinter meinem Schreibtisch hervor. »Gut. Jetzt, wo wir alle so nett beisammen sind ... Wo
ist mein Geld?«

Die Typen stellten sich dumm: »Was für 'n Geld?« fragte der eine.

Okay, ich sage mir, cool bleiben, Frankie, du hast dich
in den vergangenen Tagen schon viel zuviel aufgeregt.
Also sage ich: »Versucht mich bitte nicht zu verarschen!
Sagt mir einfach, wo die Kohle ist, und ich schenke euch
euer Leben.«

Die beiden gucken sich an ... und was machen sie? Sie
fangen an zu lachen! Kriegen sich gar nicht mehr ein. Irgendwann fangen auch Henk und Abdul an zu lachen,
und schließlich lache ich auch ein bißchen mit. Hahaha-
haha.

Na, ja, wir lachen also alle nett vor uns hin, bis ich mir
denke, daß wir hier ja irgendwann zu einem Ergebnis
kommen müssen, also frage ich die beiden, was denn so
komisch sei, ob es an meiner Frisur liegt oder ob einer von
uns den Hosenstall offen hat, ODER WAS!?

Abdul   Typen stellten sich doof. Taten, als wüßten sie
nix von Million. Frankie sagt, er schenkt ihnen Leben,
wenn sie Geld geben. Typen fangen an zu lachen. Ich weiß

nicht worüber, hab ich Witz nicht verstanden, aber ich lache trotzdem mit. Lachen ist gesund. Und lustig.

Martin   Leben schenken! Mann, das war der beste Witz, den ich in den letzten Tagen gehört hatte. Nach einer Weile sagte Frankie, so hieß er wohl, was denn so komisch sei, und Rudi erklärte ihm, daß das mehr so 'n Insider-Witz sei.

Dann erklärte ich Frankie, daß wir das Geld an irgendwelche Leute verschickt haben.

Frankie hob seine Pistole, zielte auf meine Stirn und sagte: »Warum machst du es mir so schwer? Jetzt muß ich dich umpusten.«

Noch so 'n Witz. Ich sagte, daß er sich dann aber bitte beeilen möge, und erklärte ihm, daß ich einen Gehirntumor habe.

Frankie   DIIIESE MIIIESE RATTE! Ich glaubte das alles überhaupt nicht! Stand ganz locker vor mir und erzählte mir einen von wegen Gehirntumor und daß er bald abkratzen müsse!

Ich könnte die beiden einstellen, für Typen mit guten Nerven habe ich immer eine Verwendung.

Aber was rede ich da für einen Scheiß?

Rudi   Frankie versuchte sich wirklich zusammenzureißen. Nachdem Martin ihm von seinem Tennisball erzählt hatte, richtete er die Pistole auf meinen Kopf und meinte, daß er dann eben mich abknallen würde.

Es war mir fast schon unangenehm, ihm sagen zu müssen, daß ich auch nicht mehr besonders lange ... etwas länger wahrscheinlich als Martin, aber im Endeffekt ... Knochenkrebs ... und ich müsse ihm doch wohl nicht erklären, was das bedeute.

Frankie   Alles was recht ist, aber das ging eindeutig zu weit. WAS GLAUBTEN DIE BEIDEN IDIOTEN EIGENTLICH, WEN SIE VOR SICH HATTEN!? DAS WAR DOCH EIN BLUFF, DAS WAR DOCH GANZ EINDEUTIG EIN BLUFF! Das gibt's doch gar nicht, daß dir gleich zwei Typen, die du umlegen willst, sagen, daß sie todkrank sind!

Ganz ruhig.

Es ist ja vorbei.

Pfffff.

Also.

Ich hatte die Faxen aber so was von dicke, Mann, ich hatte sooo einen Hals, aber ehrlich.

Ich spannte den Hahn.

Henk   Frankie spannte den Hahn. Na endlich.

Abdul   Frankie spannt Huhn von Pistole. Gleich macht bumm, dacht ich.

Martin   Rudis Krebs hatte Frankie den Rest gegeben. Er spannte den Hahn.

Rudi   Frankies Geduld war offensichtlich zu Ende. Er spannte den Hahn. Ich schloß die Augen. Wenn es denn hier enden mußte, nun gut.

Martin nahm meine Hand. »War 'ne schöne Zeit«, sagte er.

Ich lauschte in die Stille. Würde ich den Schuß noch hören können, oder würde alles viel zu schnell gehen?

Statt des Schusses hörte ich ein Husten.

Frankie   Ich hätte es fast getan, ich hätte fast abgedrückt. PENG! Und dann hätte ich sein Gehirn in meinem Büro verteilt. PENG! Und dann hätte ich den anderen umgepustet. PENG! Und dann hätten Henk und Abdul saubermachen können. HA!

Martin   Als es hinter mir hustete, drehte ich mich unwillkürlich um.

So, so, wieder ein neues Gesicht. Und noch dazu ein ziemlich finsteres. Täuschte ich mich, oder machte sich Frankie fast in die Hose, als die andere Type samt zwei Bodyguards ins Zimmer kam?

Frankie   Durch die Tür kam... Curtiz! Ach du Scheiße. Hatte ich eine Verabredung mit ihm vergessen? Curtiz haßt es, wenn man Verabredungen mit ihm vergißt.

Ich nahm die Waffe herunter.

»Frankie, wer sind die beiden Figuren?« fragte Curtiz.

Jahaaa. Vielleicht kam ich so aus der Sache heraus. Ich konnte Curtiz die beiden Scheißer auf dem goldenen Tablett servieren. Zwar ohne Apfel im Mund, aber immerhin. »Das sind die beiden Scheißer, die dein Geld geklaut haben, Boß.«

Rudi   Der neue, den Frankie Curtiz nannte, kam betont langsam ins Zimmer, ging zu Frankie, dann zu Martin und mir, besah uns eine Weile und ging dann wieder zu Frankie.

»Die?« fragte er und zeigte mit dem Daumen über seine Schulter. Er schüttelte leicht den Kopf, dann zeigte er auf Frankie: »Du!«

Jetzt mischte sich der Holländerbelgierluxemburger ein, indem er einen Schritt nach vorne trat und sagte: »Boß, das sind doch die Typen aus dem Fernsehen. Erinnerst du dich nicht?«

Curtiz drehte sich um, und der Holländerbelgierluxemburger trat wieder einen Schritt zurück und konzentrierte sich darauf, sich nicht in die Hose machen zu müs-

sen. »Hab ich gesagt: ›Rede, Arschloch‹?« Der Holländerbelgierluxemburger blickte interessiert auf den Boden. Curtiz drehte sich zu uns und fragte: »Wer seid ihr?
Schauspieler?«

Martin erklärte ihm, daß wir da nur zufällig hin-
eingeraten und eigentlich auf dem Weg ans Meer sei-
en.

»Wir waren nämlich noch nie da«, ergänzte ich.

Michael Curtiz   Die beiden Schauspieler waren noch
nie am Meer! Kaum zu glauben.

Das Meer.

Ich bin fast jedes Wochenende am Meer. Da habe ich
eine kleine Jacht, mit der ich dann ein bißchen rum-
schippere.

Du liebe Zeit, ich hatte fast Lust, die beiden ins Auto
zu packen und ihnen das Meer zu zeigen.

Da riß mich dieser unsensible Frankie aus meinen Träumen.

Frankie   Nachdem die beiden vom Meer angefangen
hatten, war mit dem Boß nichts mehr anzufangen. Er
stand in meinem Büro und guckte in die Ferne wie ein
verliebter Teenager. Ich konnte es nicht fassen: Vor ihm
standen zwei Typen, die ihn um eine satte Million gebracht hatten, sagten bloß: »Meer«, und schon drehte Curtiz ab?

Ich mußte ihn wecken. »Haaaallo!« rief ich. »Boß, die
beiden Mistkerle haben deine Million geklaut.«

Curtiz drehte sich zu mir um und hatte einen Gesichtsausdruck, den ich noch nie bei ihm gesehen habe,
nicht einmal damals, als wir in Amsterdam diese Bank
um zwanzig Millionen Gulden erleichtert hatten. Fing an,
davon zu faseln, wie es sei, wenn man in den Himmel
kommt. *Weißt du, wie das ist, Frankie? Im Himmel reden sie*

nur über das Meer und darüber, wie schön es dort ist. So 'n Zeugs. Dann fragte er mich, ob ich schon mal am Meer war.

»Was für 'ne Frage«, sagte ich, »klar war ich schon am Meer.«

Ja, und dann...

...dann hat Curtiz auf einmal eine Knarre in der Hand, hält sie an meine Stirn und sagt: »Das ist schön für dich. Dann kannst du ja mitreden.«

Ich denke, ach du Scheiße, was ist denn jetzt los? Hier läuft irgendwas ganz verkehrt, irgendwas läuft hier ganz und gar nicht nach meinem Geschmack, denke ich.

Curtiz dreht sich zu den beiden Heinis um und fragt sie: »Habt ihr meine Million?«

Die beiden Heinis schütteln den Kopf.

Curtiz dreht sich wieder zu mir um und sagt: »Schade.« Dann gibt er den beiden Heinis zu verstehen, daß sie abhauen sollen.

Und ich erinnere mich plötzlich ganz klar und deutlich an meine Kindheit, an meine Eltern und meine Geschwister und an Susan, meine erste große Liebe, und an das erste Ding, daß ich gedreht habe, und an all die Sachen eben. Und ich denke, Mensch, Frankie, zieht da gerade dein Leben an dir vorbei? Und wenn ja, *warum* zieht es an dir vorbei? Zieht das Leben nicht immer dann an einem vorbei, wenn es zu Ende geht?

Tja... und dann hat Curtiz mir in den Kopf geschossen. Peng.

Jetzt frage ich Sie: Ist das fair? Ich meine, IST DAS FAIR?

Rudi   Hinter uns ging die Tür zu. Einen Moment später hörten wir einen Knall. Martin blickte mich an und sagte: »Vielleicht sehen wir Frankie schon bald wieder.«

Martin   Als wir wieder im Auto saßen, dämmerte es. Ich sah Rudi an: »Paß auf«, sagte ich, »wir schwören jetzt, daß wir erst wieder aus diesem Wagen aussteigen, wenn wir am Meer sind.« Ich hob meine Hand, Rudi tat es mir nach. Ich sagte: »Ich schwöre, daß ich erst aus diesem Wagen aussteige, wenn wir am Meer sind.«

Rudi sagte: »Ich schwöre, daß ich erst aus diesem Wagen aussteige, wenn wir am Meer sind.«

Rudi blickte mich an und fragte: »Was passiert, wenn wir unseren Schwur nicht halten?«

Ich überlegte einen Moment, dann sagte ich: »Dann fallen wir auf der Stelle tot um.«

Ich ließ den Motor an, und wir fuhren los.

15.

Kannst du das Salz riechen?

Rudi   Wir fahren über eine schmale Straße, die mitten durch die Dünen führt. Vor uns taucht ein Parkplatz auf. Er ist leer. Wir stellen den Krankenwagen ab und steigen aus. Ich will meine Tür zuwerfen, da fällt mir ein, daß ich die Flasche Tequila vergessen habe. Ich klettere noch einmal in den Wagen und fische sie unter meinem Sitz hervor.

Martin ist schon ein Stück vorgegangen. Ich laufe ihm nach.

Wir stehen vor einer Düne. Martin sieht zu der Düne hinauf: »Hier ist es, was?«

Vögel schreien. Ich bin mir nicht sicher, ob ich das Rauschen der Brandung hören kann oder ob es der Wind ist. Die Luft riecht salzig. Ich halte meine Nase ein Stück höher und schnuppere. Ich sage: »Kannst du das Salz riechen?« Martin antwortet nicht.

Ich gehe los. Martin bleibt stehen. Er ruft mich. Ich drehe mich um.

Wir schauen uns an.

Ich sage: »Wir sind da, Martin.«

Martin nickt, er versucht ein Lächeln.

Ich drehe mich um, blicke die Düne hinauf, sehe wieder zu Martin.

Er sagt: »Danke.«

Ich sage: »Ich danke dir auch.«

Martin will immer noch nicht gehen. Ich gehe zwei, drei Schritte auf ihn zu.

Er sagt: »Ich muß dir was sagen, Rudi. Ich ...« Er zögert. Ich ahne, was er sagen wird: »Ich habe Angst.«

Ich sage: »Ich weiß. Und soll ich dir was sagen? Du brauchst keine Angst zu haben.«

Martin   Ich möchte Rudi umarmen. So wie er mich umarmt hat im Hotel, nach meinem Anfall. Ich bin ihm dankbar. Zum ersten Mal wünsche ich mir, ihn früher kennengelernt zu haben.

Ich habe Angst.

Rudi sagt mir, ich müsse keine Angst haben.

Wir gehen die Düne hinauf. Als wir oben sind, bleiben wir stehen.

Rudi   O Gott, das Meer. Als ich die Düne hinaufgehe und der Himmel langsam wieder nach unten sackt, spüre ich, wie mir Tränen in die Augen laufen. Die Luft ist diesig, ich kann nicht unterscheiden, wo der Himmel aufhört und das Meer anfängt.

Martin   Ich habe geweint. Himmel, hat das gutgetan. Ich habe im Sand gelegen und geweint, geheult, geschrien. Vor Glück? Weil so viel hinter mir lag? Weil ich nicht geweint habe, als ich von dem Gehirntumor erfahren habe? Weil ich die Tränen gerade noch unterdrücken konnte, als ich meine Mutter umarmte?

Wir sind die Düne hinabgelaufen, irgendwann bin ich stehengeblieben und habe meine Schuhe und Strümpfe ausgezogen.

Rudi   Wenn uns jemand gesehen hätte, hätte er uns für bescheuert gehalten. Wir sind wie verrückt am Strand herumgesprungen, wird sind mit unseren Anzügen halb ins Wasser gelaufen, wir haben uns mit Sand beworfen, wir sind die Dünen raufgesprintet und runtergesprungen, wir haben kleine Wälle aus Sand gebaut, um das Meer aufzuhalten, wir haben nassen Sand genommen und ihn durch unsere Hände laufen lassen, so daß er sich zu kleinen Türmchen aufschichtete. Wir haben im Sand gelegen und in den Himmel gestarrt.

Martin   Ich sehe Rudi, er steht ein paar Meter vor mir und blickt aufs Meer hinaus. Ich gehe zu ihm. Rudi hält die Tequilaflasche in der Hand, er öffnet sie, trinkt einen Schluck und reicht sie mir.

Ich nehme einen tiefen Schluck und gebe sie ihm zurück.

Rudi fragt: »Ist jetzt eigentlich Ebbe oder Flut?«

»Keine Ahnung«, sage ich, »ich war vorher noch nie am Meer.«

Wir fangen an zu lachen.

Ich bin müde von der ganzen Herumrennerei. Ich muß mich hinsetzen.

Rudi bleibt stehen. Er blickt aufs Meer und sagt: »Du hattest recht. Es ist wirklich wunderschön. Ganz sicher reden im Himmel alle über das Meer.«

Ich bin glücklich.

Dann kommt der Lastwagen.

Ich lege mich zurück.

Mit dem Kopf in den Sand.

Ich schließe die Augen.

Ich höre die Wellen.

Den Wind.

Ein paar Vögel.

Diesmal fange ich nicht an zu zittern.

Rudi   Hatte Martin einen schönen Tod?

Ich drehte mich um und sah ihn im Sand liegen. Ich wußte sofort, daß er tot war. Ich setzte mich neben ihn und sah ihn an, seine Augen waren geschlossen. Ich habe nicht weinen können, ich habe mich selbst darüber gewundert.

Ich habe nie viel über den Tod nachgedacht. Als ich jetzt neben meinem toten Freund saß, dachte ich an einen Sonntag vor vielen Jahren, als ich mit meiner Oma auf den Friedhof gehen mußte. Ich schleppte zwei Gießkannen ans Grab meines Opas und goß die Blumen, und meine Oma rupfte ein bißchen an den Blumen herum, riß verwelkte Blätter ab und Unkraut aus dem Boden. Ich habe meinen Opa nicht kennengelernt, er starb vier Jahre, bevor ich geboren wurde. Ich hatte nur Bilder von ihm gesehen, auf denen er stets sehr ernst blickte. Als ich also damals mit meiner Oma am Grab stand, war er seit siebzehn Jahren tot. Nachdem wir das Grab in Ordnung gebracht hatten, standen wir da, und ich beobachtete meine Oma aus den Augenwinkeln. Sie blickte unentwegt auf das Grab – aber weniger mit Trauer, sondern prüfend, auf der Suche nach Unkraut oder welken Blumenblättern. Und auf einmal blickte sie mich an und sagte: »Da würde er sich freuen, wenn er wüßte, daß du auch hier bist.« Ich wußte darauf nichts zu sagen.

Hat meine Oma siebzehn Jahre nach dem Tod meines Opas Trauer empfunden, als sie mit mir an seinem Grab stand? Wie lange kann man um einen Menschen trauern? *Das Leben geht weiter,* und *Die Zeit heilt alle Wunden* (und wenn sie schon nicht alle Wunden *heilt,* so macht sie sie wenigstens *erträglich*; oder wenigstens *halbwegs* erträglich) – für mich war es zugleich eine der niederschmetterndsten und beruhigendsten Erfahrungen, daß diese beiden Mütter aller Binsenweisheiten so wahr waren wie nur irgendwas. Wenn du dich auf gar nichts mehr verlassen kannst – diese beiden Sätze stimmen immer, und sie werden bis in alle Ewigkeit gültig sein. Frustrierend, was? Siebzehn Jahre waren seit dem Tod meines Opas vergangen. Wer wird in siebzehn Jahren noch an meinem Grab stehen? fragte ich mich, während ich aufs Meer blickte. Wird es jemanden geben, der wie meine Oma sagt: »Solange ich nicht weiß, daß hier am Grab alles in Ordnung ist, hab ich keine Ruhe.« Ich wüßte nicht, wer das sein sollte.

Ich habe mal eine Erzählung gelesen oder einen Roman, keine Ahnung mehr, was es war, ich glaube, es war von Sartre, aber ich bin mir da nicht mehr sicher. Jedenfalls ging es um den Tod und darum, daß man sich nach seinem Tod in einem Raum befindet. Und man sieht, wie in einem Nebenraum immer wieder ein Licht angeht. Man sieht das, weil die Räume nur durch eine matte Scheibe getrennt sind. Allerdings sieht man sonst nichts, nur, daß immer wieder Lichter an- und ausgehen. Immer, wenn ein Licht angeht, heißt das, daß gerade jemand an dich denkt. Kurz nach deinem Tod ist der Nebenraum fast taghell, ständig gehen Lichter an und wieder aus. Aber mit den Jahren leuchten immer weniger Lichter auf, und wenn sie aufleuchten, dann tun sie dies für eine immer kürzere Zeit. Ich fand immer, daß das eine grauenhafte Vorstellung ist. Man sitzt in diesem Raum und sieht, wie nebenan immer weniger Lichter angehen. Immer weniger Menschen denken an dich, obwohl auf deinem Grabstein wahrscheinlich steht: *Ewig unvergessen* oder *Wir werden ihn nie vergessen* oder irgend so was.

Auf Martins Grabstein steht nur sein Name. Bei seiner Beerdigung stand ich neben seiner Mutter und hielt sie in meinen Armen. Sie weinte lautlos, ich sah nur die Tränen ihre Wangen herablaufen. Nach der Trauerfeier bleiben wir am Grab stehen, bis alle anderen weg waren, dann gingen wir durch die Grabreihen zum Auto. Irgendwann sagte sie: »Ich habe mir immer gewünscht, keines meiner Kinder zu Grabe tragen zu müssen.« Sie schluchzte kurz auf, und wir blieben stehen, und ich umarmte sie. Wir standen eine Weile da, dann blickte sie mich an und sagte: »Wissen Sie, was meine größte Sorge ist?« Ich schüttelte den Kopf. »Meine größte Sorge ist, daß er geglaubt haben könnte, ich hätte mich für ihn oder seine Art zu leben geschämt. Daß er geglaubt haben könnte, ich hätte ihn nicht geliebt.«

Ich sagte: »Ich habe Ihren Sohn nur drei Tage gekannt, aber ich bin sicher, daß er *das* nicht gedacht hat.«

Sie nickte, und wir gingen schweigend weiter. Als wir fast am Ausgang des Friedhofes waren, meinte sie: »Er wird sich freuen, daß Sie auch da waren.«

Ich werde ihn bald fragen können.

Martin   Manchmal denke ich darüber nach, wie ich gute Freunde kennengelernt habe. Meistens weiß ich es nicht. Wenn ich mich an meine erste Begegnung mit Rudi erinnere, denke ich daran, wie er in dem Krankenzimmer gestanden und der Schwester nachgeblickt hat. Ich sehe ihn genau vor mir, wie er dasteht, mit seiner Tasche, vollkommen hilflos und allein.

Und ich weiß, daß es mir plötzlich, im Laufe der drei Tage, die ich mit ihm auf der Erde verbracht hatte, vorkam, als kennten wir uns schon seit Jahren: Es war am dritten Tag unseres Ausflugs, kurz nachdem wir die holländische Grenze passiert hatten. Wir hatten eine Weile nicht gesprochen. Kurz hinter der Grenze sagte Rudi dann: »Komisch, man merkt sofort, daß man in einem anderen Land ist. Alles sieht anders aus, die Häuser, die Schilder, sogar der Straßenbelag, was?« Er blickte mich an, und ich blickte ihn an und sagte: »Stimmt.« Dann schwiegen wir wieder. Verstehst du, was ich meine? Ich will auf dieses *Schweigen* hinaus, in diesem Schweigen lag eine merkwürdige Vertrautheit, jedenfalls empfand ich es so. Es war nicht dieses peinliche oder drückende Schweigen, bei dem du krampfhaft nach Gesprächsstoff suchst. Wir schwiegen einfach, weil es nichts Besonderes zu sagen gab oder weil jeder von uns seinen eigenen Gedanken nachhing. Ich kann mich noch daran erinnern, daß ich in jenem Moment kurz darüber nachgedacht habe, ob ich jetzt etwas sagen sollte oder ob vielleicht Rudi unser Schweigen als unangenehm empfand, aber letztlich habe ich nichts gesagt, ich habe nur kurz zu ihm geblickt, und er hat mich ebenfalls angesehen, kurz gelächelt und wieder aus dem Fenster geblickt. Soll ich dir was sagen? *Das* war einer der Momente, für die sich mein Leben gelohnt hat.

Während der Beerdigung stand Rudi neben meiner Mutter und hatte einen Arm um sie gelegt.

Sogar mein netter Bruder war da – und ich weiß bis heute nicht, ob ich mich bloß verguckt habe oder ob seine Augen wirklich feucht waren.

Rudi Manchmal denke ich darüber nach, wie ich Freunde kennengelernt habe. Und weißt du, was komisch ist? Bei *guten* Freunden kann ich mich nie daran erinnern, wie ich sie kennengelernt habe, ich weiß zum Beispiel nie, wann ich sie das erste Mal getroffen oder wann ich das erste Mal mit ihnen geredet hatte, all solche Dinge. Bei Martin konnte ich mich an alles erinnern, an jede Einzelheit, an jedes Detail. Ich konnte mich genau an seinen Auftritt im Krankenhausflur erinnern, ich konnte mich an unser nächtliches Tequilabesäufnis erinnern, daran, wie er vom Meer schwärmte, obwohl er es noch nie gesehen hatte, ich konnte mich an den Tankstellenüberfall erinnern, an die Nacht in der Präsidentensuite, an alles, und ich kann es heute noch. Warum? Vielleicht liegt es daran, daß unsere Beziehung von Anfang an das war, was man wohl *intensiv* nennt. Ist wieder mal eine Binse, ich weiß. Aber, Mann, ist das Leben nicht eine einzige Binse?

Ich sah Martin einen knappen Monat später wieder. Er holte mich ab und zeigte natürlich als erstes auf mein Hemdchen: »Schick siehste aus.«

»Ich kann da nichts dafür, die haben mir dieses komische rote Ding am Eingang gegeben. Irgendwie haben die wohl gedacht, ich mag rote Klamotten. Muß ich das jetzt bis in alle Ewigkeit tragen? Und wieso hast du ein schwarzes?«

»Weil ich das schwarze Schaf hier oben bin.«

»Sehr witzig.«

»Nu' bleib mal locker. Ich hab doch auch keine Ahnung, nach welchen Kriterien die ihre Hemdchen verteilen. Du bist noch keine fünf Minuten hier und meckerst bloß rum. Mann, Rudi, du bist im Himmel.«

»Ja klar, im Himmel! Und alle reden übers Meer, was? Das war ja wohl eine absolute Verarsche von dir. Alles, was ich bis jetzt gehört habe, war Saufen und Weiber. Weißte, wie ich mir hier vorkomme...«

»Übrigens«, unterbrach Martin mich, »wenn du irgendwann mal in den Whirlpool gehst, erschrick dich nicht.«

Ich blickte ihn fragend an.

»Mit hoher Wahrscheinlichkeit wirst du Frankie dort treffen.«

»*Der* ist auch hier?«

»Der hat das irgendwie mit Beziehungen gemacht.

Macht aber inzwischen einen ganz entspannten Eindruck. Ist, glaub ich, eigentlich ein ganz netter Typ. Wie sagt man? Einer, mit dem man Pferde stehlen könnte. Oder Tankstellen überfallen. Oder Banken.« Martin grinste.

Ich grinste zurück. »Jetzt komm hier bloß nicht auf blöde Gedanken.«

Wir standen eine Weile da und schauten uns an. Schließlich umarmten wir uns.

»Schön, dich zu sehen«, sagte Martin leise. »Dann hakte er sich bei mir unter: »Auf geht's. Ich führe dich ein bißchen rum.

Und ich zeige dir die Leute, die übers Meer reden.«

Harold
Nebenzal

Café Berlin

01/9905

Harold Nebenzals »Café
Berlin« führt mitten hinein
in die deutsche Hauptstadt
der Dreißiger und Vierziger
Jahre – in das pulsierende
Berlin der Neonreklamen
und Jazzrhythmen, in das
verdunkelte Berlin der
Nazischergen und der
Verfolgten.

»Eine literarisch
außerordentlich attraktive
Geschichte, deren Wahr-
heiten sowohl die deutsche
Vergangenheit als auch
unsere Gegenwart
betreffen.«
SÜDDEUTSCHE ZEITUNG

Heyne-Taschenbücher

HEYNE BÜCHER

Kerstin Jentzsch

Seit die Götter ratlos sind

01/9865

Lisa Meerbusch ist jung, schön, naiv und trotzig. Sie lebt in Ostberlin, hat aus politischen Gründen ihren Beruf an den Nagel gehängt und ihre Träume von dem, was Leben sein kann, nicht aufgegeben. Als die Mauer fällt, folgt sie ihrem Traum und fliegt nach Kreta...

»Ein cooles Buch zum Nachdenken.«
DIE WELT

Heyne-Taschenbücher

HEYNE BÜCHER

Starke
Männer

*Hollywoods neue
& alte Helden*

32/245

Heyne - Taschenbücher